Œuvres & thèmes

Collection dirigée
par Hélène Potelet et Georges Décote

Les fabliaux du Moyen Âge

classiques Hatier

Choix de douze fabliaux
adaptés par Pol Gaillard et Françoise Rachmuhl

Un genre

Le fabliau

Groupement de textes

Histoires à rire

A. Allais, F. Raynaud, R. Devos, Zouc,
M. Jolivet, J.-M. Ribes

ISBN 978-2-218-73928-6
ISBN 0184 0851

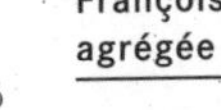

Françoise Rachmuhl,
agrégée de Lettres modernes

L'air du temps

Les fabliaux du Moyen Âge

La plupart des fabliaux ont été composés au XIIIe siècle, à une époque de prospérité.
Dans les campagnes et dans les villes, le commerce se développe, l'argent confère le vrai pouvoir.

Deux grands rois, Philippe Auguste (1180-1223) et Saint Louis (1226-1270), renforcent le pouvoir royal et assurent le prestige de la France dans le monde occidental.

À la même époque...

- La France se couvre de cathédrales.
Les tours de Notre-Dame de Paris sont achevées en 1230.
- Robert de Sorbon fonde à Paris, en 1257, un collège qui deviendra la Sorbonne.
- Marco Polo, un Vénitien, part pour la Chine. À son retour, il décrira ce qu'il a vu dans le *Livre des Merveilles*.
- À la fin du siècle, on compte à Paris vingt-six bains publics et vingt-deux maîtresses d'école.
- Le *Roman de la Rose* et le *Roman de Renart* connaissent un égal succès et font rêver et sourire citadins et paysans.

Sommaire

Introduction 4

Première partie

Les fabliaux du Moyen Âge

Texte 1 Estula 8
Texte 2 Brunain, la vache au prêtre 14
Texte 3 Du vilain qui conquit le paradis par plaid 19
Texte 4 Le vilain mire 26
Texte 5 Le testament de l'âne 37
Texte 6 Un jongleur en enfer 43
Texte 7 Les trois aveugles de Compiègne 50
Texte 8 Le curé qui mangea des mûres 62
Texte 9 La vieille qui graissa la patte au chevalier 66
Texte 10 Les perdrix 70
Texte 11 Les trois bossus 76
Texte 12 La housse partie 86

Questions de synthèse 94

Deuxième partie

Groupement de textes : Histoires à rire

Alphonse Allais Les zèbres 98
Fernand Raynaud Les croissants 104
Raymond Devos La leçon du petit motard 107
Zouc Le téléphone 112
Marc Jolivet Emilio 118
Jean-Michel Ribes Réclamation 121

Index des rubriques 127

Introduction

Les fabliaux du Moyen Âge

(XIIIe siècle)

Qui étaient les jongleurs du Moyen Âge ?

De ville en ville, de château en château, d'une cour de ferme à la cour du prince, les jongleurs – le mot vient du latin joculator, qui signifie « amusant », « rieur » – allaient, la vielle[1] et la rote[2] à la main, la barbe et la perruque teintes en rouge, pour le plus grand plaisir des bonnes gens. C'étaient les amuseurs du Moyen Âge, les joyeux plaisants.
En ce temps-là, les spectacles proprement dits n'existaient guère. Le théâtre, oublié pendant des siècles, renaissait à peine de ses cendres dans les chœurs des églises. Mais les jongleurs connaissaient maintes belles chansons, de geste ou d'amour courtois, ainsi La Chanson de Roland ou Le Roman de Tristan et Iseut, qui racontaient des hauts faits d'armes ou les aventures merveilleuses de l'amour. Quand ils avaient bien fait vibrer les esprits et les cœurs, afin de détendre leur public, ils se livraient à des tours d'adresse, culbutes et sauts, acrobaties et pitreries, bref « jongleries » de toute espèce. Ou bien ils contaient quelque fabliau.

Qu'est-ce qu'un fabliau ?

Un fabliau est un récit en vers de huit syllabes, généralement assez court, de 200 à 500 vers, 1 200 pour les plus longs. Le mot vient du latin fabula qui signifie « récit », « histoire », comme le mot « fable ». Mais alors que la fable met en scène des animaux et insiste sur la moralité, le fabliau, plus long, vise surtout à nous faire rire aux dépens des humains, auxquels parfois viennent se mêler, comme des aînés dotés de pouvoirs supérieurs, des saints ou des diables.
Le paysan et son seigneur, le mari et sa femme, le curé et son évêque défilent joyeusement devant le public ravi. En quelques phrases, le jongleur brosse le décor, la haie couverte de mûres, la ferme entourée

1. Instrument de musique à cordes et à manivelle.

2. Instrument de musique à cordes pincées.

de ses champs, la ville avec ses boutiques et ses auberges. Et, tour à tour, il mime chacun des personnages, imite leur voix, contrefait leur allure. Chaque auditeur reconnaît son voisin, son conjoint, mais pas lui-même bien sûr ! On ne se sait pas ridicule, mais comme il fait bon rire des autres ! Oh, pas un rire méchant. Rien de guindé, rien de tragique. Et quand le faible triomphe du fort grâce à sa sagesse ou à sa malice, quelle revanche sur la vie ! Tant pis si l'histoire n'est pas vraisemblable, du moment que le conteur maintient l'attention en haleine, sait faire rire au bon moment, bref se montre aussi habile à jongler avec les mots qu'avec les pommes ou les couteaux.

Quand le public a bien ri, il réfléchit. Un peu de morale ne nuit pas. Cette morale n'offre pas un idéal austère, que l'on doive s'essouffler à atteindre : elle se contente d'observer le monde comme il va, conseille la prudence, l'esprit d'à-propos, le bon sens. Elle exprime, malgré la présence obsédante de la maladie, de la misère et de la mort, l'amour de la vie.

Qui sont les auteurs des fabliaux ?

Si les jongleurs, grâce à leur mémoire, à leur talent, font vivre les fabliaux, ainsi transmis par la voie orale, s'il leur arrive même d'ajouter çà et là quelques vers de leur cru, de modifier quelques épisodes, ils avouent volontiers ne pas être les auteurs de ces plaisants récits. Ils les ont entendus ou lus ailleurs.

Des fabliaux qui nous sont parvenus – 150 environ, datant pour la plupart du XIIIe siècle – nous ne connaissons guère les auteurs. Excepté quelques-uns comme Jean Bodel ou Rutebeuf, qui ont écrit d'autres ouvrages, la plupart sont restés anonymes.

Ceux qui sont connus appartiennent à la classe des clercs, ces hommes d'Église qui ont reçu la tonsure[3], sans être prêtres pour autant. S'ils sont instruits, ils sont pauvres en général, surtout les étudiants. Ils vivent difficilement dans un monde de plus en plus dominé par le pouvoir de l'argent. Mais qu'importe ! Ils sont gais, et pour se venger de leur vie difficile, ils se moquent des hommes riches

3. Petit cercle rasé au sommet de la tête, signe distinctif des ecclésiastiques.

et puissants, bernés par un être faible mais plein de malice. Et ils mettent les rieurs de leur côté.
« Il fait bon écouter les fabliaux, Messires, dit Courtebarbe, l'auteur des Trois Aveugles de Compiègne. Si le conte est joliment fait, on oublie tout ce qui est désagréable, même les douleurs du corps, même les souffrances du cœur, même les injustices des méchants. »
Un conteur affirme :
« Je ris et je deviens moins sot,
En écoutant les fabliaux. »

La tradition des fabliaux s'est-elle maintenue ?

On peut dire que les humoristes du XIXe et du XXe siècle poursuivent à leur façon la tradition des fabliaux. Certains écrivent pour les journaux, le théâtre ou la télévision, comme Alphonse Allais ou Jean-Michel Ribes. D'autres, comme Fernand Raynaud, Raymond Devos ou Marc Jolivet, composent pour la scène des sketches[4] dont ils sont les héros. Et Zouc prévient : « Mes sketches sont faits pour être joués. Ils ne vivent vraiment qu'habités. »
Quels que soient leurs textes, ces artistes recherchent toujours le contact avec le public. Ils l'interpellent, le prennent pour complice, l'amusent par leurs bonnes histoires, leur goût pour la farce, le cocasse et l'absurde. Ils le font réfléchir aussi. Leur art repose sur une observation aiguë de la vie quotidienne et de la société actuelle dont ils soulignent les tares sur un mode satirique.

4. Courte scène, en général comique, parfois improvisée, avec un très petit nombre d'acteurs.

Première partie

Les fabliaux du Moyen Âge

Texte 1

Estula

Auteur anonyme

Il y avait jadis deux frères qui n'avaient plus ni père ni mère pour les conseiller, ni aucun parent. L'amie qui était le plus souvent avec eux, c'était la pauvreté, hélas, et il n'est pire compagnie que celle-là, pire tourment que sa présence obsédante[1]. On ne cesse pas d'avoir faim quand on a faim.

Les deux frères vivaient ensemble. Un soir, ils furent vraiment comme poussés hors d'eux-mêmes par cette faim en leur ventre, par la soif dans leur gorge, par le froid dans leur corps et dans leur cœur. Ces trois maux-là, on les ressent souvent quand la pauvreté vous enchaîne !... Ils résolurent de se défendre contre elle, et ils cherchèrent comment y parvenir.

Tout près de chez eux habite un homme qu'on sait très riche. Eux sont pauvres, le riche est sot. Il a des choux dans son jardin et des brebis dans son étable. C'est de ce côté-là qu'il leur faut aller. Pauvreté fait perdre la tête à plus d'un.

L'un prend un sac, l'autre un couteau. En route ! Le premier, aussitôt dans le jardin, arrache les choux. Le second tracasse si bien la porte de la bergerie qu'il finit par l'ouvrir ; déjà il tâte les moutons pour choisir le plus gras.

Mais dans la maison les gens ne sont pas encore tout à fait couchés. Ils entendent la porte qui grince, et le fermier dit à son fils : « Dis, fils, va donc voir s'il n'y a rien d'anormal, et appelle le chien. »

Ils avaient nommé leur chien « Estula » : c'est une idée comme une autre ! Heureusement pour les deux apprentis larrons[2], le chien, ce soir-là, était allé à ses affaires... Le fils ouvre la porte

1. Qui s'impose à l'esprit et dont on ne peut se débarrasser. | 2. Voleurs.

qui donne sur la cour, il regarde, il écoute, puis il crie : « Estula ! Estula ! »

30 Une voix lui répond aussitôt, du côté des moutons : « Oui, oui, je suis là ! » La nuit est noire comme la suie et le fils a peur. La voix est drôle, il s'imagine que c'est le chien qui vient de répondre. Ah ! il n'attend guère, il tourne le dos, il court, il tremble, il rentre dans la grand-salle, bouleversé : « Qu'est-ce
35 que tu as, fils ? – Estula m'a parlé, Estula… – Qui ? notre chien ? – Oui, notre chien. – Tu es fou ! – Si. C'est vrai. Je vous le jure par la foi que je dois[3] à ma mère. Allez voir si vous ne me croyez pas. Appelez-le, vous l'entendrez !… »

Le fermier y va, il entre dans la cour, il appelle son chien :
40 « Estula ! Estula ! » Et naturellement le voleur, qui ne se doute toujours de rien, répond encore une fois : « Oui, oui, bien sûr ! »

Le fermier n'en croit pas ses oreilles : « Par tous les saints et par toutes les saintes, j'ai déjà entendu parler de bien des choses étranges, mais comme celle-là alors, jamais ! Va trouver
45 tout de suite le curé et dis-lui ce qu'il y a. Ramène-le, hein ! fais-lui prendre son étole[4]… L'eau bénite aussi, n'oublie pas. »

Le fils court aussitôt à la maison du curé. Il court, il court ; il a peur… il arrive vite, et là non plus il n'attend guère ; il ne reste pas à la porte, il entre tout de suite : « On a besoin de
50 vous, Messire. Il faut que vous veniez… Si, il faut… Vous entendrez… Vous entendrez… je ne peux pas vous dire… Jamais je n'ai entendu parler comme ça. Prenez votre étole. »

Le curé répond : « Non et non ! Il n'y a pas de lune… Je n'irai pas dehors à cette heure-ci !… Je suis nu-pieds ! Je n'y vais pas !
55 – Si, si, il faut venir. C'est votre affaire. Je vais vous porter. »

Le curé a pris l'étole, il monte sur le dos du fils, et les voilà partis. Arrivés près de la ferme, pour aller plus vite, ils coupent tout droit par le petit chemin qu'ont pris les deux affamés.

3. Serment fréquent au Moyen Âge, comme à la ligne 37, « Par tous les saints ».

4. Bande d'étoffe que le prêtre porte au cou dans certains cas.

Celui qui s'occupait des choux était encore dans le jardin. Il
60 voit la forme blanche du prêtre, et il croit que son frère lui apporte un mouton ou une brebis. Il demande, tout joyeux : « Alors, tu l'as avec toi ? – Oui, oui, répond le jeune homme, croyant que c'est son père qui a parlé. – Vite alors, fait l'autre, flanque-le par terre. Mon couteau est bien aiguisé, je l'ai passé
65 hier à la meule. On l'aura bientôt égorgé. »

Le curé l'entend, il croit qu'il est trahi ; il saute sur ses pieds nus, mais il court vite quand même, il file ! Son surplis[5] s'accroche à un pieu, mais il le laisse ; il ne perd pas son temps à le décrocher... Et le coupeur de choux dans le jardin est
70 aussi ébahi[6] que le curé qui détale sur le sentier. Tout de même il va prendre la chose blanche qu'il voit autour du pieu, il s'aperçoit que c'est un surplis. Il n'y comprend plus rien du tout.

À ce moment son frère sort de la bergerie avec un mouton
75 sur le dos. Il va tout de suite le rejoindre, son sac rempli de choux. Ils ont tous les deux les épaules lourdes !... Ils ne restent pas sur place, comme vous pensez, ils s'en retournent chez eux. Lorsqu'ils y sont, celui qui a le surplis montre ce qu'il a trouvé. Tous deux rient et plaisantent de bon cœur. Car la
80 gaieté maintenant leur est rendue, qu'ils ne connaissaient plus depuis des mois.

En peu de temps Dieu travaille ! Tel rit le matin qui pleure le soir, tel est furieux le soir qui sera joyeux le lendemain matin.

5. Vêtement de toile fine, blanc, porté par-dessus la soutane.
6. Très étonné.

Questions

Repérer et analyser

L'auteur et le narrateur

L'auteur est la personne qui a écrit le texte.
Le narrateur est celui qui raconte l'histoire.

1 **a.** Savez-vous qui est l'auteur de ce texte ? En vous aidant de son étymologie, dites ce que signifie « anonyme ».
b. Cherchez dans le recueil les autres fabliaux dont l'auteur est anonyme. Sont-ils nombreux ?
2 Le narrateur est-il un personnage de l'histoire ou est-il extérieur à l'histoire ?

La situation d'énonciation

Définir la situation d'énonciation, c'est préciser qui a produit l'énoncé, qui en est le destinataire et en quelles circonstances cet énoncé a été produit. Dans les fabliaux, le narrateur (ou conteur) se manifeste souvent au début et à la fin de son récit. Il arrive aussi qu'il intervienne en cours de récit par des commentaires.

3 **a.** Relevez les commentaires du narrateur dans les trois premiers paragraphes.
b. Expliquez : « On ne cesse pas d'avoir faim quand on a faim » (l. 5).
c. Vers quels personnages la sympathie du narrateur va-t-elle ? À quels indices le voyez-vous ?
d. À qui le narrateur s'adresse-t-il (l. 77) ? Quel est l'effet produit par ses commentaires ? Aidez-vous de l'introduction.

Le cadre spatio-temporel

4 **a.** Où et quand la scène se passe-t-elle ? Citez le texte.
b. Où se trouve chacun des deux frères (l. 17 à 20) ?
5 À quoi la nuit est-elle comparée (l. 31) ? Relevez dans les propos du curé (l. 53) une autre expression qui caractérise la nuit. Pourquoi ces précisions sont-elles importantes pour le déroulement du récit ?

Les personnages

La caractérisation

6 Faites la liste des personnages. Relevez les mots et expressions qui les désignent. À quelle catégorie sociale appartiennent-ils ?

7 Relevez au début du texte les mots et expressions qui caractérisent les deux frères d'une part, le fermier d'autre part. Qu'est-ce qui les oppose ?

8 De quel personnage essentiel parle-t-on sans qu'il soit présent ?

9 Quel est le comportement du fermier et de son fils à partir de la ligne 21 ? Quels adjectifs pourraient qualifier ces deux personnages ?

10 Quelles sont les deux raisons qu'invoque le curé pour ne pas se déplacer (l. 53 à 54) ? Qualifiez sa conduite à l'aide de deux adjectifs.

L'allégorie

L'allégorie est une figure de style consistant à personnifier une idée ou une abstraction.

11 Relevez dans les trois premiers paragraphes les termes qui permettent la personnification de la pauvreté. Pourquoi n'y a-t-il pas de déterminant devant le mot « pauvreté » (l. 16) ?

La progression du récit

Les fabliaux sont construits la plupart du temps à partir du schéma narratif traditionnel :
- une situation initiale (qui pose les circonstances, les personnages…) ;
- un élément modificateur (un événement vient compliquer la situation initiale) ;
- un enchaînement d'actions (péripéties) ;
- un dénouement ou résolution finale (un événement met un terme aux péripéties) ;
- une situation finale (un nouvel ordre des choses s'instaure).

12 Reconstituez le schéma narratif de ce fabliau.

13 À quel temps sont la plupart des verbes à partir de la ligne 13 ? Quelle est la valeur de ce temps ? Quel est l'effet produit par son emploi ?

14 Observez dans les lignes 64 à 73 : la longueur des propositions, le temps des verbes et la ponctuation. Qu'en déduisez-vous sur le rythme de la narration ?

Un procédé comique : le quiproquo

Les fabliaux sont des histoires à rire. Le comique repose souvent sur un quiproquo. Un quiproquo (du latin quid pro quod) naît de l'erreur qui consiste à prendre une personne ou une chose pour une autre.

15 Quel mot déclenche le quiproquo ? Comment faut-il le prononcer pour qu'il y ait quiproquo ?

16 Que croient respectivement le fils du fermier, puis le fermier lorsqu'ils appellent le chien ?

17 **a.** Qui parle l. 30 à 41 ? l. 62 à 65 ?

b. Combien de fois le verbe « croire » est-il employé (l. 59 à 66) ?

c. Quels nouveaux quiproquos surgissent lorsque le curé, monté sur le dos du fils, arrive près du voleur de choux ?

La leçon du fabliau et sa visée

La visée essentielle des fabliaux est de faire rire. Les fabliaux se terminent souvent par un proverbe ou par une leçon en forme de moralité qui donne la plupart du temps raison aux plus pauvres, aux plus faibles et aux plus ingénieux.

18 Comparez le début et la fin du fabliau. Quels personnages sont en position de force à la fin du récit ? et en position de faiblesse ?

19 Quelle est la leçon, en forme de proverbe, exprimée dans les dernières lignes ? Vous attendiez-vous à une moralité semblable ? Justifiez. Quelle autre leçon pourriez-vous tirer de ce récit ?

Se documenter

L'exorcisme

Au Moyen Âge, on croyait que les fous, les gens anormaux ou bizarres, étaient possédés par le démon. Pour le chasser du corps du possédé, on appelait un prêtre qui pratiquait l'exorcisme. Il passait son étole autour du cou du possédé et l'aspergeait d'eau bénite, en récitant des prières. On trouve une plaisante scène d'exorcisme dans Les trois aveugles de Compiègne, p. 50. Dans Estula, le fermier croit son chien possédé par le diable, c'est pourquoi il fait chercher le curé.

Texte 2

Brunain, la vache au prêtre

Jean Bodel

Jean Bodel est l'un des premiers auteurs de fabliaux connus. Il vécut à Arras à la fin du XIIe *siècle, devint lépreux et mourut en 1209. Poète et musicien célèbre, il écrivit, entre autres, des* Pastourelles *(poèmes qui racontent les amours d'une bergère et d'un chevalier), une pièce de théâtre, le* Jeu de Saint Nicolas, *et neuf fabliaux de tons variés.*

C'est l'histoire d'un paysan et de sa femme. Le jour de la fête de la Vierge, ils s'en vont prier à l'église. Pendant l'office[1], naturellement, le prêtre fait son sermon[2]. Il dit que si l'on comprend les choses on voit tout de suite qu'il fait bon donner
5 beaucoup pour le Bon Dieu ; ce qu'on lui donne de tout son cœur, il vous le rend au double[3].

« Tu as entendu, ma femme, ce qu'a dit le curé ? fait le paysan. Celui qui donne de tout son cœur pour le Bon Dieu, il reçoit deux fois plus. Qu'est-ce que tu en penses ? Nous ne pouvons
10 pas employer mieux notre vache qu'en la donnant au prêtre pour le Bon Dieu, je crois bien. Tu es d'accord ?

– D'accord, fait la femme. À cette condition-là, je veux bien. Je la donne. »

Aussitôt dit, aussitôt fait. Ils s'en retournent chez eux.
15 Le paysan entre dans l'étable, prend la vache par sa longe[4] et va l'offrir au prêtre. Celui-ci était habile, et rusé. Il écoute. « Beau Sire, dit le paysan, les mains jointes, pour l'amour de

1. Cérémonie religieuse. Ici, la messe.
2. Discours prononcé par le prêtre pendant la messe.
3. Allusion aux paroles de Jésus dans l'Évangile : « Quiconque aura quitté pour me suivre sa femme, ou ses enfants, ou ses terres, recevra le centuple et aura la vie éternelle. »
4. Corde qui sert à mener une bête.

Dieu je vous donne Blérain. » Il lui met dans les mains la longe de la vache et il lui jure que maintenant sa femme et lui ne
20 possèdent plus rien du tout.

« Ami, tu viens d'agir comme un sage, dit le curé Dom Constant[5] qui ne pense jamais qu'à prendre. Va en paix, tu as très bien rempli tes devoirs. Si tous mes paroissiens étaient aussi sages que vous deux, j'aurais beaucoup de bêtes ! »

25 Le paysan s'en va et le curé donne l'ordre à son clerc[6] d'attacher Blérain (pour qu'elle prenne de nouvelles habitudes) avec sa propre vache Brunain, une belle vache assez grande. Le clerc la mène au pré, attache les deux vaches ensemble, puis il les laisse... La vache du curé se penche, elle
30 veut paître. La vache du paysan, elle, ne veut pas se baisser, et elle tire sur la longe, – elle tire tellement fort qu'elle entraîne Brunain hors du pré, qu'elle l'emmène avec elle, par les rues d'abord, puis par toutes les prairies et les cultures de chanvre[7]. Elle tire, elle tire, elle tire toujours ! elle sait où elle va... La
35 voici revenue à son étable. Enfin ! Sa compagne était lourde à traîner !

Le paysan les voit. Il est tout joyeux : « Ah ! ma femme, dit-il, c'était vrai ! C'est vrai ! Dieu est un bon "doubleur" ! Blérain revient avec une autre, une belle vache brune. Nous en avons
40 deux pour une seule ! L'étable va être petite... »

Ce fabliau vous montre plusieurs choses. Il est bien fou celui qui ne se fie pas à la volonté divine. Les vrais biens ce n'est pas ceux qu'on cache dans la terre, ce sont les dons de Dieu. Personne ne peut rien multiplier s'il n'a pas beaucoup de
45 chance, c'est la condition indispensable. Parce qu'il avait beaucoup de chance, le paysan eut deux vaches et le curé perdit la sienne. Tel croit avancer qui recule.

5. « Dom » est l'abréviation de « Dominus ». Titre donné à certains hommes d'Église.

6. Ici, serviteur du curé, qui appartient à l'Église sans être prêtre.

7. Plante textile cultivée dans le nord de la France.

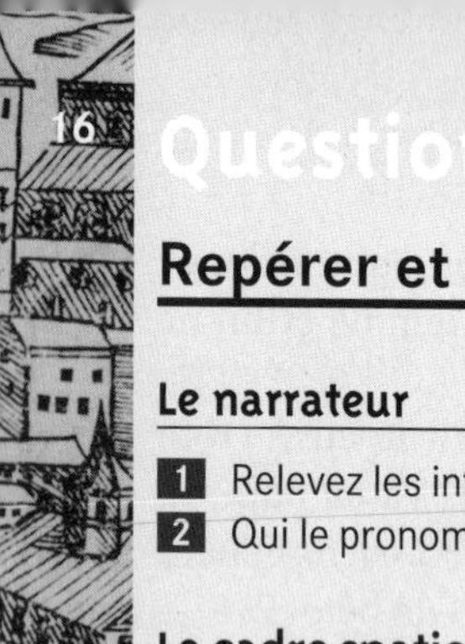

Questions

Repérer et analyser

Le narrateur

1 Relevez les interventions du narrateur.
2 Qui le pronom « vous » désigne-t-il (l. 41) ?

Le cadre spatio-temporel

3 Relevez les indications de lieu, puis faites le plan du village et de ses environs.
4 Quel jour la scène se déroule-t-elle ?

Les personnages

Dans les fabliaux, les personnages sont rapidement campés et représentent des types : le paysan, le prêtre, les moines, le bourgeois, le voleur, le mendiant.

Le paysan et sa femme

5 **a.** Le paysan est-il riche ou pauvre ? Justifiez votre réponse.
b. Qu'espère-t-il en donnant sa vache au prêtre ? Trouvez un adjectif qui pourrait qualifier ce personnage.
c. Prend-il sa décision seul ? Citez le texte.
d. Quel est le type de phrases dominant dans les lignes 37 à 40 ? Quel est l'état d'esprit du paysan ? Expliquez l'expression : « Dieu est un bon "doubleur" » (l. 38).

Le curé

6 **a.** Relevez les mots et expressions qui caractérisent le curé. Vous semblent-ils justifiés ? Citez le texte à l'appui de votre réponse.
b. Relevez le jeu de mots dans les paroles du curé (l. 23-24) et expliquez-le. Comment le curé considère-t-il ses paroissiens ?

Les vaches

7 **a.** Par quels noms ou groupes nominaux les vaches sont-elles désignées dans le texte ?
b. De quoi chacune d'elles est-elle en quête (l. 28 à 36) ? En quoi leur comportement est-il déterminant ?

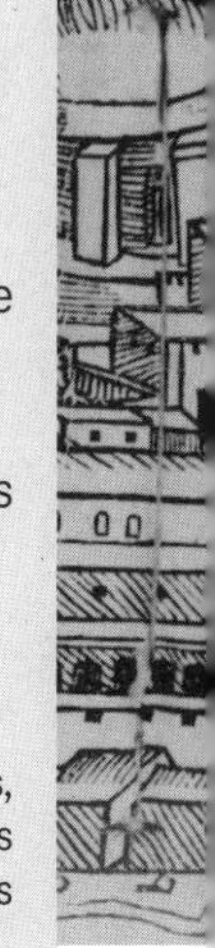

La progression du récit et le mode de narration

8 Retrouvez le schéma narratif de ce fabliau (voir p. 12).
9 Comparez le début et la fin du fabliau. Y a-t-il une évolution de la situation des personnages ?
10 À quel temps le récit est-il mené ? Quelle est sa valeur ?
11 Dans les lignes 29 à 36, quel verbe est employé à de nombreuses reprises ? Quel est l'effet produit ?

La satire sociale

La satire de certaines catégories sociales (prêtres, moines, médecins, riches paysans, bourgeois aisés, enrichis par le commerce…) est un élément traditionnel des fabliaux. Mais cette satire n'est jamais sévère : elle consiste à se moquer, sans méchanceté.

12 À partir de vos réponses à la question 6, dites quels défauts du curé sont ici mis en avant.
13 Que nous apprend ce fabliau sur l'influence des gens d'Église à la campagne ?

La visée du fabliau

14 **a.** Relevez les proverbes qui sont donnés en leçon, à la fin du fabliau. À quels personnages du fabliau s'appliquent-ils successivement ?
b. Trouvez un autre proverbe qui pourrait servir de moralité à ce fabliau.
c. Quelle est la visée du fabliau ? Appuyez-vous sur l'ensemble de vos réponses.

S'exprimer

15 Racontez une histoire qui se termine par cette phrase : « Tel croit avancer qui recule. »
16 Faites du fabliau étudié une bande dessinée. Avez-vous besoin d'une bulle pour chaque image ? Quelles paroles pouvez-vous conserver ? Comment mettez-vous en évidence la morale du conte ?

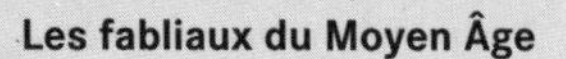

Étudier la version originale

Les fabliaux ont été écrits en ancien français et en vers. Le texte original du début du fabliau est donné avec sa transcription littérale en français moderne.

De Brunain
la vache au prestre

D'un vilain cont et de sa fame,
C'[1] un jor de feste Nostre Dame
Aloient ourer à l'yglise.
Li prestres, devant le servise,
Vint a son proisne sermoner,
Et dist qu'il fesoit bon doner
Por Dieu, qui reson entendoit;
Que Dieus au double li rendoit
Celui qui le fesoit de cuer.

De Brunain,
la vache du prêtre

Je parle d'un paysan et de sa femme,
Qui le jour de la fête de Notre Dame
Allaient prier à l'église.
Le prêtre, avant de dire la messe,
Vint faire son sermon,
Et dit qu'il faisait bon donner
Pour Dieu, si on réfléchissait;
Que Dieu le rendait au double
À celui qui le faisait de bon cœur.

17 **a.** Combien de syllabes y a-t-il dans chaque vers du texte original ?
b. Comment les rimes sont-elles disposées ?

18 Quels mots comprenez-vous facilement, même si l'orthographe a changé ?

19 En ancien français, la désinence (terminaison du mot) change suivant sa fonction dans la phrase. Ainsi on a un « s » au cas sujet. Trouvez deux exemples de noms sujets terminés par « s » dans ce texte.

20 En ancien français, le complément de détermination n'est pas relié au nom qu'il complète par une préposition. Ainsi « Hôtel-Dieu », qui signifie hôtel de Dieu, demeure où l'on héberge les pauvres et les malades, est un mot qui vient du Moyen Âge. Trouvez un exemple de ce type dans le texte ci-dessus.

21 Préférez-vous la traduction littérale donnée ici ou l'adaptation proposée dans le recueil ? Justifiez votre réponse.

1. « C' » est élidé devant la voyelle de « un ».

Texte 3

Du vilain qui conquit le paradis par plaid[1]

Auteur anonyme

Écoutez la belle histoire qui est arrivée jadis à un paysan comme vous ; je l'ai lue dans un livre.

Il était mort un matin, au petit jour, son âme venait de quitter son corps. Et par hasard, ce jour-là, à cette heure-là, tous les anges et tous les démons étaient occupés, aucun n'était disponible pour emporter son âme… L'âme du paysan attendait. Personne ne venait rien lui demander, personne ne venait lui donner d'ordre. Il en était tout heureux, lui qui pendant sa vie avait si souvent eu peur.

Comme il regardait en l'air, partout, voilà soudain qu'il aperçoit à droite l'archange saint Michel qui emporte une âme[2]. Pour sûr il l'emporte au ciel, il a l'air plein de joie. Le paysan se dit : « Je m'en vais le suivre. » Il le suit, il le suit même si bien qu'il entre au paradis avec lui.

Pas mal ! Mais saint Pierre l'avait vue, cette âme qui était entrée toute seule. Dès qu'il a reçu et inscrit l'âme qui était amenée par saint Michel, il revient vers le paysan : « Dis donc, qui est-ce qui t'a amené, toi ? Personne n'est hébergé ici sans passer par le tribunal. Surtout pas les vilains[3], par saint Alain ! Nous nous en moquons des paysans ; notre séjour n'est pas pour eux. Et il n'y a pas plus paysan que toi, il me semble…

– Oh ! oh ! tout doux, beau sire Pierre, lui fait le paysan. Vous avez toujours eu un cœur de… pierre. Par son Saint Nom,

1. En plaidant. On a conservé le titre original de ce fabliau.
2. C'est l'archange saint Michel qui vient chercher l'âme de Roland mourant dans La Chanson de Roland.
3. Paysans.

Dieu a fait une belle bêtise quand il vous a choisi pour apôtre.
25 Il ne fallait pas avoir beaucoup d'honneur, ni de religion, pour renier Jésus trois fois comme vous avez fait. Et vous êtes ici avec Lui quand même !… Le paradis ne vous convient pas du tout. Sortez, parjure[4]. Je suis honnête et franc, moi ; j'y ai plus droit que vous. »

30 Saint Pierre a honte, il n'ose pas discuter. Il va confier toute l'histoire à saint Thomas, comme il peut. « Je vais le trouver, dit saint Thomas. Il ne restera pas ici, à Dieu ne plaise[5] ! »

Et, en effet, aussitôt à la porte il se met à crier : « Vilain, ce lieu est réservé aux nôtres, aux martyrs[6], à tous ceux qui 35 ont proclamé leur foi. Est-ce que tu as fait quelque chose de pareil, pour croire que tu habiteras ici ? Non. Alors ?… Tu ne pourras jamais y rester. C'est un séjour pour les compagnons fidèles.

– Maître Thomas, maître Thomas, réplique le paysan, vous 40 parlez à la légère ! Vous vous prenez pour un juge irréprochable ?… Est-ce que ce n'est pas vous, dites, qui avez juré aux apôtres qui vous disaient avoir vu Jésus après la résurrection que jamais vous ne le croiriez si vous ne mettiez pas la main dans ses plaies ? Vous appelez ça une amitié fidèle ? 45 Je regrette, mais je vous dis que vous avez été sans foi et sans raison, un mécréant[7]. »

Saint Thomas baisse la tête et se tient coi[8]. Il va trouver saint Paul pour lui dire son malheur. « J'y vais, par ma tête, dit saint Paul, je verrai bien. »

50 Mais l'âme du paysan n'a plus du tout maintenant la peur qu'elle avait sur terre. Elle se trouve bien au paradis et elle a le droit pour elle. Saint Paul lui lance : « Aucun ange ne t'a

4. Qui a fait de faux serments.
5. Qu'il ne plaise pas à Dieu, que cela ne se fasse pas !
6. Qui ont souffert et qui sont morts pour leur foi en Dieu.
7. Qui ne croit pas en Dieu.
8. Silencieux.

conduit au ciel et tu n'as rien fait sur terre qui justifie ta place chez nous. Hors d'ici, paysan ! Tu es fou, ma parole ! »

55 Le vilain réplique aussitôt : « Qu'est-ce qu'il y a, monsieur Paul le chauve, vous reprenez votre caractère de tyran ? Croyez-vous que je ne sache pas toute votre vie ? Jamais je n'en ai entendu d'aussi horrible. Vous avez persécuté les chrétiens, vous avez fait lapider[9] saint Étienne. Vous feriez mieux de ne
60 rien dire. »

Saint Paul lui aussi est bouleversé de honte ; il s'en va tout de suite. Il retrouve saint Thomas qui se consultait avec saint Pierre. Il leur parle à l'oreille : « Ah ! il a gagné contre moi ! Pour ma part je lui donne le paradis, si Dieu veut. »

65 Tous trois font appel à Jésus. Saint Pierre raconte franchement ce que le paysan leur a dit : « Ses paroles nous ont confondus[10] ; que pouvions-nous répondre ? Jamais plus je ne pourrai en parler. »

Le Christ se lève aussitôt : « J'irai. Je veux l'écouter moi-
70 même. »

Il vient au paysan, il lui demande comment il peut se faire qu'il soit au paradis sans un ordre formel[11] : « Jamais une âme n'entre ici sans congé[12], ni homme ni femme. Tu as blâmé mes apôtres, tu les as insultés, humiliés ; et tu penses rester quand
75 même !

– Seigneur, c'est vrai. Je dois rester tout autant qu'eux, si je suis jugé comme il faut. Jamais je ne vous ai renié, jamais je n'ai cessé de croire en vous, jamais je n'ai tué ou fait tuer pesonne !… Tant que j'ai été en bas, sur terre, j'ai mené la vie
80 la plus nette que je pouvais, j'ai donné de mon pain aux pauvres, je les ai chauffés à mon feu, je leur ai fourni des vêtements quand j'en avais, je les ai soignés lorsqu'ils étaient

9. Tuer à coups de pierres.
10. Troublés, réduits au silence.
11. Précis, sans erreusr possible.
12. Permission, laissez-passer.

malades, je les ai menés à l'église, je ne les ai laissés manquer de rien. Est-ce que ce n'est pas comme ça qu'il fallait agir ?...
85 Je me suis confessé, j'ai communié[13] de votre corps. On nous a toujours dit au prêche que ceux qui meurent de cette façon, Dieu leur pardonne leurs péchés. Vous qui savez tout, vous savez bien que je ne mens pas. Alors, maintenant que je suis au paradis, je vous réclame d'y rester. Vous-même vous avez
90 donné commandement à tous les hommes de chercher d'abord le Royaume de Dieu, de n'en jamais démordre[14] ; je vous obéis. Vous ne pouvez pas me chasser sans vous mentir.

– Paysan, dit Jésus, ainsi soit-il[15]. Reste au ciel. Tu as bien plaidé ton procès, tu l'as gagné. Tu as raison et tu sais parler.
95 Tu as été à très bonne école. »

Il dit vrai le proverbe des paysans : « Mieux vaut la raison que la force. »

13. Pour les croyants, recevoir le corps du Christ sous la forme de pain consacré.
14. Renoncer.
15. Formule finale des prières : « Qu'il en soit ainsi. » On dit aussi « amen », mot hébreu.

Repérer et analyser

Le narrateur

1 Qui désignent les pronoms « je » et « vous » dans la première phrase ?
2 D'où le narrateur tient-il l'histoire qu'il raconte ?
3 Qui prononce la réflexion : « Pas mal ! » (l. 15) ? À quoi fait-elle donc allusion ?

Le cadre et les personnages

Le merveilleux

Les fabliaux peuvent contenir des éléments merveilleux, c'est-à-dire qui font intervenir des événements ou des personnages surnaturels. On parle de « merveilleux chrétien » quand interviennent des éléments surnaturels issus du christianisme.

4 Où la scène se déroule-t-elle ? Quelle différence remarquez-vous avec les fabliaux précédents ?

Les saints

5 **a.** Quels sont les trois saints qui interviennent successivement ? En vous reportant à la rubrique « Se documenter » (p. 24), dites quelle mauvaise action chacun d'eux a commise au cours de sa vie terrestre.
b. Relevez les termes injurieux comme les expressions méprisantes employées par les saints à l'égard du vilain. Pour quelle raison le méprisent-ils ?

Le vilain

6 **a.** Retrouvez les deux phrases qui évoquent la peur du paysan sur la terre (l. 3 à 9, 50 à 54). Quelle différence remarquez-vous entre les deux ?
b. À votre avis, de quoi le paysan avait-il peur ?
c. Relevez les paroles du paysan évoquant sa vie sur la terre. Quel genre de vie a-t-il mené ?

La progression du récit

7 Dans quel ordre les saints interviennent-ils ? Cet ordre aurait-il pu être différent ? Justifiez votre réponse.

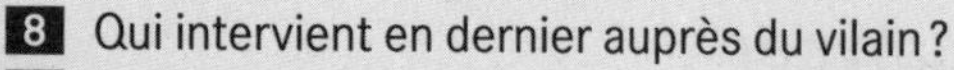

8 Qui intervient en dernier auprès du vilain ?

9 Sur quel ton le vilain s'adresse-t-il successivement à chacun des trois saints ? et au Christ ? Justifiez votre réponse.

10 Comparez le début et la fin du fabliau. La situation a-t-elle évolué ?

Le discours argumentatif

Le discours argumentatif est un discours par lequel un énonciateur cherche à convaincre, à l'aide d'arguments, un destinataire d'adopter un point de vue.

11 Que cherche à obtenir le vilain ? Quels arguments utilise-t-il face à chaque personnage ?

12 De quoi le Christ félicite-t-il le vilain à la fin du fabliau ?

La visée du fabliau

13 Quelle est la visée du fabliau ? Imaginez une autre moralité.

Se documenter

La vie des saints

Au Moyen Âge, non seulement l'Évangile, qui conte la vie de Jésus, mais aussi la vie des saints étaient connus des fidèles. Ils en voyaient les principales scènes représentées sur les murs des églises. Aussi les gens de cette époque, si humbles fussent-ils, comprenaient parfaitement les allusions contenues dans ce fabliau.

Il est exact que saint Pierre, après l'arrestation de Jésus, jura trois fois, sous l'empire de la peur, qu'il ne connaissait pas le Christ. Saint Thomas, lui, ne voulait pas croire à la résurrection de Jésus. Saint Paul, avant de se convertir, fut un cruel persécuteur des premiers chrétiens.

S'exprimer

14 Le vilain reste au paradis. Imaginez la vie qu'il y mène et les rencontres qu'il y fait.

15 Écrivez un fabliau qui commence par : « Écoutez la belle histoire qui est arrivée jadis à… ; je l'ai lue dans un livre » et qui se termine par : « Il dit vrai le proverbe : “Mieux vaut la raison que la force”. »

Enquêter

16 **a.** Qui était saint Pierre ? Que savez-vous du personnage historique ? Quel rôle a-t-il joué dans l'Église primitive ? Et selon la légende, quel rôle joue-t-il habituellement au paradis ? Quelle est la signification symbolique de l'objet qu'il tient à la main ?
b. Comparez saint Pierre avec le même personnage dans le fabliau Un jongleur en enfer (p. 43). Quelles différences remarquez-vous ?

Étudier une image

Saint Pierre

17 **a.** Comment saint Pierre est-il vêtu ? Que tient-il dans la main droite ? Que signifient à votre avis le geste de sa main gauche et l'inclinaison de sa tête ?
b. Le sculpteur a-t-il représenté le corps humain de façon réaliste (voir page 58). Justifiez votre réponse en étudiant les proportions du corps et de la tête, et la manière dont sont figurés les plis des vêtements.
c. Que savez-vous de l'art roman ?

Texte 4

Le vilain mire[1]

Auteur anonyme

Il y avait jadis un paysan fort riche, travailleur, mais très près de ses sous, avide. Par tous les temps il attelait ses deux chevaux et partait avec eux cultiver ses champs. Bien sûr il avait tout le pain, toute la viande, tout le vin qu'il fallait, mais pas de femme. À ses amis qui l'en blâmaient il répondait : « Trouvez-m'en une bonne, je me marie tout de suite. ». Ses amis un jour le prennent au mot : ils lui en trouveront une, disent-ils, la meilleure qui soit.

Or, dans le même pays, vivait un chevalier[2] veuf et qui avait une fille fort belle ma foi, et distinguée ; c'était seulement l'argent qui leur manquait. Les filles sans dot[3] attendent longuement leurs noces, m'a-t-on dit. En tout cas le chevalier n'arrivait pas à trouver un mari pour la sienne, malgré toutes ses qualités.

Les amis du paysan, qui le savaient, allèrent le trouver, lui firent un beau portrait de leur compagnon et de ses richesses en or, en argent, en beau linge, et le père accepta. La fille, qui était obéissante et qui n'avait plus sa mère, hélas ! n'a pas osé dire non ; elle ne voyait pas ce qu'elle pouvait faire d'autre.

Le paysan, lui, une fois la lune de miel terminée, vite terminée, se demanda s'il n'avait pas fait une très mauvaise affaire en épousant ainsi une fille de chevalier ! Il fallait bien qu'il continue de travailler aux champs s'il voulait rester riche, et pendant ce temps-là, pendant qu'il serait à la charrue, loin de la maison, sa dame sans doute y ferait rentrer les

1. Le paysan médecin.
2. Noble d'un rang inférieur à celui de baron.
3. Somme d'argent que la femme apporte en se mariant.

damoiseaux[4], jours de travail comme jours de fête ; le curé viendrait la cajoler[5], matin et soir… Bref le paysan était jaloux.

« Je suis marié, se disait-il, c'est fait ; le repentir ne sert à rien… Mais je peux me défendre d'avance, contre tout ce 30 qu'elle pourrait faire ! Si je la bats tous les matins, elle pleurera tellement toute la journée pendant que je serai aux champs que personne ne pourra plus même penser à lui conter fleurette[6]… Et tous les soirs, quand je reviendrai, je lui demanderai pardon, je la consolerai… »

35 Il se résout à cela, le vilain[7] ! Le lendemain, de bonne heure, aussitôt qu'ils ont mangé le pain, le fromage, les œufs à la poêle, aussitôt qu'elle a débarrassé la table, de sa grosse main il lui allonge d'énormes gifles qui laissent la trace des doigts sur les joues, il la saisit par les cheveux et il la bat, la bat, 40 tout comme si elle l'avait mérité. Puis il court à ses champs.

4. Jeunes nobles pas encore chevaliers. Ici, jeunes hommes qui font la cour aux dames.
5. Caresser, dire des paroles aimables.
6. Faire la cour.
7. Jeu sur le double sens du mot : le paysan, l'homme brutal, aux mauvaises manières.

Il l'avait bien prévu, sa femme pleure ; elle pleure sur sa mère morte, hélas ! Elle se maudit d'avoir accepté un pareil mariage : « Est-ce que j'allais mourir de faim ? Pourquoi n'ai-je pas dit non à mon père qui me livrait ? » Toute la journée elle se lamente.

45 Et le paysan, le soir, quand il revient, se jette à ses genoux : « Ma femme, ma douce, pardon, pardon ! Le diable m'avait tourné le sang. Je suis coupable, je suis triste. Toute la journée j'ai pensé à vous. Jamais plus je ne vous battrai. »

Il lui en conte tellement que la dame lui pardonne. Elle 50 prépare un bon repas, ils le mangent ensemble, et ils s'en vont coucher en paix… Mais le lendemain matin, même tintamarre que la veille. Le paysan la rosse à la volée[8] avant de partir à sa charrue.

Cette fois la femme se dit tout en pleurant : « Pas possible, il 55 ne sait pas ce que c'est que d'être battu, il ne l'a sûrement jamais été. S'il savait ce que c'est, il n'agirait tout de même pas en pareille brute. »

Et voilà que passent sur le chemin deux messagers du roi montés sur des chevaux blancs. Ils saluent la dame et lui 60 demandent, si elle veut bien, à se restaurer et à se reposer un peu chez elle : ils sont fatigués.

« Volontiers, messires, voici du pain, du fromage et du vin. D'où êtes-vous donc, si je puis savoir ? Vous cherchez quelque chose ?

65 – Le roi nous envoie chercher un médecin, nous devons passer en Angleterre.

– Pourquoi en Angleterre ? dit la dame.

– Il faut un très grand médecin. La fille du roi est malade. Depuis huit jours elle ne peut plus ni manger ni boire, une 70 arête de poisson lui barre et lui bouche le gosier. Le roi nous a comm…

8. Bat avec force.

– Les bons médecins ne sont pas tous au loin, répète la dame. Mon mari s'y connaît pour les humeurs[9] ; je crois qu'il est aussi savant qu'Hippocrate[10].

75 – Vous voulez rire !

– Oh ! non, fait-elle, je n'ai guère cœur à rire… Mais c'est vrai qu'il est drôle, je vous préviens. Il est fait de telle sorte, il est si paresseux qu'on n'obtient rien de lui si on ne le bat pas.

– Vous dites ?

80 – Ce que j'ai dit. Il faut le battre pour qu'il accepte de vous soigner.

– Comme c'est curieux !

– C'est curieux mais c'est tout de même commode. Il guérit fort bien les malades quand il a été battu.

85 – Bon !… Soit !… Bon !… On n'oubliera pas… Vous pouvez nous dire où il est, à cette heure-ci ?

Elle l'indique, ils y courent, ils le saluent de par le roi, ils lui ordonnent de venir avec eux.

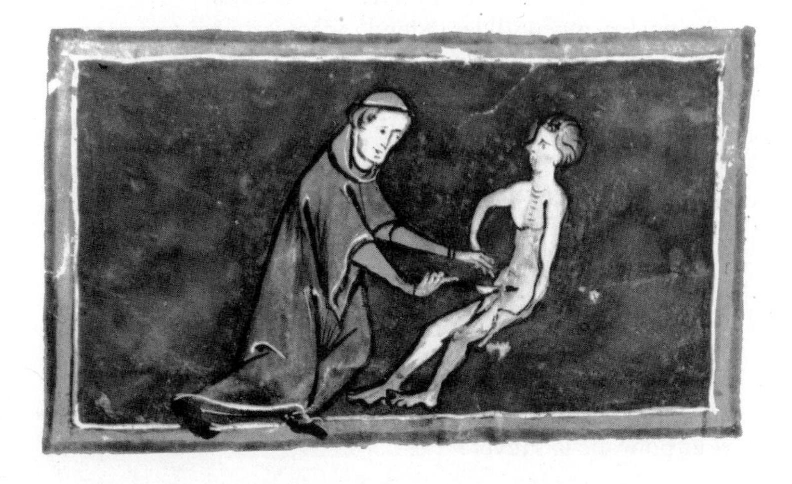

9. Liquides du corps humain.
10. Célèbre médecin grec du Ve siècle avant Jésus-Christ.

« Pour quoi faire ?
90 – Parler au roi.
– Pour quoi faire ?
– Faire le médecin. Le roi a besoin de vous et nous sommes venus vous chercher. »

Le paysan leur dit de le laisser travailler en paix, qu'ils sont
95 fous, qu'il n'est pas du tout médecin et qu'il n'ira pas.

« Tu sais bien qu'il faut d'abord faire quelque chose, dit l'un des messagers.

– Eh bien, allons-y. »

Ils prennent chacun un bâton et ils le battent de haut en bas,
100 de bas en haut, jusque par-dessus les oreilles et par-dessous le bas du dos. C'est le paysan qui ressent les coups, cette fois ! Il cède et il a honte ; les messagers l'entraînent au palais du roi. Il doit marcher à reculons entre leurs chevaux blancs, la tête basse.

« Alors, vous avez trouvé quelqu'un ? demande le roi quand
105 ils arrivent à la cour.

– Le voici, Majesté », répondent-ils ensemble.

Le paysan a peur. Il les entend raconter au roi que c'est un très grand médecin, affligé seulement d'un très grand défaut, une paresse honteuse, mais que si on le bat comme il faut, il
110 révèle des dons admirables…

« Jamais entendu parler d'un médecin pareil, dit le roi. Mais essayons. Qu'on me le batte !

– J'y suis tout prêt, dit un sergent[11].

– Attendez, dit le roi, vous avez tout de même trop de hâte,
115 je vais d'abord lui offrir de le payer. »

Il s'adresse au paysan :

« Voici, Maître. Si vous voulez, je vais envoyer chercher ma fille. Je veux absolument qu'elle guérisse. Combien demandez-vous pour me la sauver ?

11. Officier chargé de faire respecter la justice du roi.

120 – Sire, de par le Christ qui jamais n'a menti, je ne suis pas médecin, je vous le jure, je ne sais rien de la médecine, je ne peux pas la guérir.

– Qu'on me le batte », dit le roi.

Les sergents s'en acquittent volontiers, et fort bien. Mais 125 quand le paysan, une nouvelle fois, ressent lui-même ce qu'il a fait ressentir à sa dame, il se trouve fou de le supporter.

« Grâce, grâce, crie-t-il. Je vais vous la guérir.

– À la bonne heure », dit le roi.

La jeune fille était déjà dans la salle, pâle et blême. Il fallait 130 la guérir donc, ou mourir ! Mieux valait tout de même la guérir, essayer au moins. Le vilain, tout suant, réfléchissait tant qu'il pouvait : l'arête n'est pas dans le corps, elle est dans le gosier. Si donc j'arrive à faire rire la fille, l'arête remontera peut-être… Il dit au roi :

135 « Que l'on fasse un grand feu ici et qu'on me laisse seul avec la princesse. Si Dieu veut, je la guérirai.

– À la bonne heure », dit le roi.

On fit le feu, il fit le fou ! Et la fille qui le regardait n'arriva pas à se retenir. Elle rit, elle rit, et l'arête lui jaillit du gosier ! 140 et le paysan bondit hors de la salle !

« Sire, Sire, voici l'arête de votre fille… Je suis sauvé !

– Elle est guérie », dit le roi.

Puis, après un silence : « Vous êtes un grand médecin et je vous garde en mon palais. Vous aurez tout ce qu'il vous faut.

145 – Non, Sire, je vous prie ; je désire retourner chez moi.

– Non, Maître, je vous prie, je désire vous garder chez moi.

– Mon travail m'attend, Sire. Quand je suis parti hier, je devais porter le blé au moulin pour être battu. Il n'y a plus une once[12] de farine chez nous.

150 – Pour être battu ? » dit le roi.

12. Mesure de poids, la 16e partie de la livre de Paris, environ 30 g.

Le médecin soigne son patient avec des infusions d'herbes. Manuscrit vénitien de Benedetto San Moro (XIVe siècle).

Il fit signe à ses deux sergents: « Qu'on me le batte », soupira-t-il.

Quand le vilain, une nouvelle fois, ressentit lui-même ce qu'il avait fait ressentir à sa dame, de haut en bas, de bas en haut, 155 jusque par-dessus les oreilles et par-dessous le bas du dos, il se trouva bien fou de le supporter.

« Grâce, Sire, je reste.

– À la bonne heure », dit le roi.

Le paysan, donc, est obligé de rester à la cour, dans le château. 160 On le rase, on le tond, on lui passe la robe rouge; il respire un peu... Mais les malades du pays ont appris la guérison; ils accourent, ils assiègent le roi. Le roi médite en lui-même: « C'est juste », pense-t-il. Il appelle le médecin:

« Vous les entendez, Maître, dit-il. Prenez soin de ces gens-165 là, je vous prie. Guérissez-les.

– Grâce, Sire. Ils sont trop, je ne pourrai jamais les soigner tous.

– Dommage », dit le roi.

Il fait signe à ses deux sergents qui arrivent déjà avec un 170 bâton.

« Qu'on me le ba..., commença le roi.

– Grâce, Sire, je vous les guérirai, si Dieu le veut.

– À la bonne heure, dit le roi.

– Que l'on fasse un grand feu ici, cria le vilain, et que tous 175 les bien- portants quittent la salle avec vous, Sire. Je dois rester seul avec les autres. »

On fit le feu, il ne fit pas le fou, il parla aux malades :

« Par le Dieu qui m'a créé, je ne peux pas vous guérir tous, leur dit-il, la somme des maladies est trop forte et vous n'êtes 180 pas assez résistants. Voilà donc ce que je vais faire. Je brûlerai dans ce feu le plus malade d'entre vous et quand il sera brûlé en entier, tous les autres n'auront qu'à absorber un peu de ses cendres pour être purifiés et fortifiés. Après ils n'auront plus qu'à rendre grâces à Dieu, ils seront guéris. »

185 Les malades s'entre-regardent, cherchant le plus atteint : chacun sent bien que ce n'est pas lui ; aucun ne l'avouerait, même si on lui donnait tout le pays normand ; aucun n'a plus rien.

« Tu brûles de fièvre, toi, dit le vilain, tu es certainement le 190 plus mal.

– Mais pas du tout, Maître, vous m'avez soulagé si vite. Un mal dont j'ai pu souffrir si longtemps. Je suis guéri.

– Eh bien, alors, sauve-toi. Qu'est-ce que tu fais encore ici ? Porte-toi bien, mon brave. »

195 Le brave repasse la porte et dit au roi qui lui demande s'il va un peu mieux :

« Et comment, Sire ! Je suis plus sain qu'une pomme. Ah ! vous avez un médecin, un médecin... »

Ai-je besoin de vous dire la suite, Messieurs et Mesdames
200 qui m'écoutez si fort ? Il ne resta pas un malade, petit ou grand, pas un. La vue d'un beau grand feu est très revigorante[13] sans doute puisque tous s'en allèrent en disant qu'ils étaient sauvés. Le roi était aux anges, ébahi d'admiration :

« Comment donc avez-vous pu agir si vite, mon doux Maître ?

205 – Eh bien, Sire, je les ai charmés, oui, charmés. Je connais un "charme[14]" plus puissant encore que le gingembre et la cannelle[15]. Le plus puissant de tous sur la vie des hommes.

– Ah ! dit le roi. Vous aurez tout ce que vous voudrez, de l'argent, des chevaux, des troupeaux, et mon amitié si vous la
210 voulez aussi, mon estime la plus haute en tout cas. »

Le roi sourit avec douceur :

« Mais ne m'obligez plus à vous prier par des coups de bâton, mon ami. J'ai scrupule de frapper quelqu'un comme vous.

– Sire, Sire, merci, dit le vilain. Vous n'aurez pas besoin. Je
215 suis tout vôtre maintenant et je le serai tant que je vivrai ; je crois que jamais plus je n'oublierai ce qu'il faut faire. »

Il retourna chercher sa femme, et en effet tous les témoins assurent qu'il l'aima et qu'il la chérit jusqu'à sa mort, sans la battre, sans la frapper. C'est elle, en fait, qui lui avait donné
220 sa science et ses diplômes !

13. Qui redonne de la force, de la vigueur.
14. Remède magique.
15. Substances aromatiques utilisées en cuisine, considérées comme précieuses.

Questions

Repérer et analyser

Le narrateur et le cadre

1 Qui désigne le pronom « m' » (« m'a-t-on dit », l. 12) ?
2 Quels sont les lieux principaux dans lesquels se déroule l'histoire ?

La progression du récit

3 Résumez la situation initiale.
4 Quel est l'élément modificateur ?
5 Quels personnages mènent successivement l'action ?
6 Quelle est la situation finale ? Résumez-la en une phrase.
7 Comparez la situation des personnages au début et à la fin du récit. Cette situation a-t-elle évolué ? S'est-elle améliorée ?

Les personnages

Le vilain

8 **a.** Relevez, dans le premier paragraphe, les mots et les expressions qui caractérisent le vilain.
b. Quels détails, dans la suite du récit, prouvent sa richesse ? Comment l'a-t-il acquise ?
c. Qualifiez sa conduite envers sa femme. Pour quelles raisons se conduit-il ainsi ? Quel raisonnement tient-il pour justifier cette conduite ?
d. Quels personnages contrarient ses projets ?
e. De quelles qualités fait-il preuve lorsqu'il se trouve à la cour du roi pour guérir la princesse ? pour guérir les autres malades ?

La jeune femme

9 **a.** Relevez les deux adjectifs qui caractérisent la fille du chevalier (l. 9 à 11). Quelle est son origine sociale ?
b. Pourquoi ne trouve-t-elle pas de mari ? Pourquoi épouse-t-elle un paysan ? Aime-t-elle son futur époux ?
c. De quelle qualité fait-elle preuve par la suite ?
d. Au cours de sa rencontre avec les messagers du roi (l. 58 à 86), à quels détails se manifestent sa bonne éducation et même sa culture ?

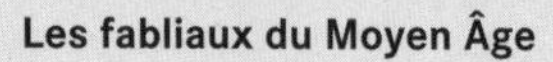

La satire de la médecine (voir p. 17)

10 Comment le vilain s'y prend-il pour guérir la fille du roi ?
11 Une fois la princesse guérie, que fait-on à la cour du roi pour transformer le paysan en mire ? Citez le texte. En est-il médecin pour autant ? Quelle critique de la médecine est ici indirectement exprimée ?
12 « Je connais un "charme" plus puissant encore que le gingembre et la cannelle » (l. 206) : de quel « charme » veut parler le vilain mire ?

Le comique

Les fabliaux exploitent les principales ressources du comique : mots, gestes et situation…

13 Trouvez dans le texte un exemple de comique de mots, de geste, de situation.

La visée du fabliau

14 Contrairement aux autres fabliaux, celui-ci ne présente aucune leçon. Quelle visée pourriez-vous dégager de cette histoire ?

S'exprimer

15 Divisez la classe en quatre groupes. Chaque groupe sera chargé de la mise en scène d'un épisode. Reprenez les dialogues, en les développant si nécessaire, et désignez un récitant, chargé de faire le lien entre les différents épisodes.

Comparer

16 Le thème du faux médecin qui guérit les malades par la ruse est universellement connu. On le rencontre en Orient, en Afrique et, bien sûr, en Europe. Molière a lui aussi illustré ce thème. Recherchez des textes qui reprennent ce sujet et comparez-les.

Texte 5

Le testament de l'âne

Rutebeuf

Un curé avait une très bonne paroisse, c'est-à-dire qu'il en tirait un très fort revenu. Il avait ses greniers pleins de blé, ses coffres pleins d'argent, ses armoires pleines de linge, et comme il ne faisait guère l'aumône lui-même, ni la fête, il
5 était riche.

Il possédait également un âne, solide, obstiné juste ce qu'il fallait, très doux, qui lui faisait toutes ses besognes. Peut-être parce qu'il n'avait pas beaucoup d'amis, le curé aimait beaucoup cet âne, et, lorsque la bête mourut, il en fut vraiment
10 très chagrin. Il ne pouvait pas se résoudre à l'enterrer n'importe où, ni à l'envoyer à l'équarrisseur[1]. Finalement il l'enterra en plein cimetière des hommes, c'est-à-dire en terre consacrée[2]. « Après tout, se disait-il, est-ce que j'ai jamais eu un meilleur paroissien ? »

15 L'évêque du diocèse[3], lui, était d'un caractère tout opposé à celui du curé. Il aimait le luxe, les réceptions, les festins, et il donnait beaucoup aux gens qui lui plaisaient. Bref, il était toujours sans argent. « Qui fait la fête fait des dettes », comme on dit. Et naturellement il n'aimait pas les riches curés avares
20 qui ne reversaient jamais rien à leur évêque ; il écoutait avec envie et avec rage tout ce qu'on rapportait sur leur compte, vrai ou faux. Aussi, lorsqu'on vint à dire un jour devant lui, par hasard ou par malice, que le curé dont je vous parlais avait un lourd péché sur la conscience, qu'on pourrait tirer
25 de lui une belle amende si on voulait, il dressa aussitôt l'oreille.

1. Personne qui dépèce les animaux morts pour utiliser leurs os, peau, graisse, etc.
2. Rendue sacrée, bénie par le prêtre.
3. Homme d'Église, le supérieur du curé. Le curé dirige la paroisse, l'évêque dirige le diocèse.

« Qu'est-ce donc qu'il a fait, ce ladre[4] ?

– Il a agi comme un païen d'Égypte[5], Monseigneur. Il a enterré son âne en terre sainte.

– Oh ! oh ! c'est une honte ! Il a osé ! Convoquez-le tout de 30 suite. S'il est coupable, il paiera. L'affaire relève de ma justice[6]. »

Le curé est bien obligé de venir. L'évêque l'agonit[7] de reproches :

« Mauvais curé, suppôt[8] de Satan, qu'as-tu fait de ton âne ? Était-il baptisé, avait-il une âme et une conscience pour que 35 tu oses l'enterrer en cimetière chrétien ? Tu as péché comme les idolâtres[9] si tu as fait cela, tu as scandalisé tous tes fidèles. Que peux-tu dire pour ta défense ?

– Hélas, Monseigneur, je ne suis qu'un pauvre prêtre tout simple, que l'on accuse de beaucoup de choses. Je ne sais pas 40 bien parler. Pour vous répondre, je vous demande un jour de délai, si vous voulez bien. »

L'évêque hésite, mais le délai est de droit : un accusé peut prendre conseil avant d'être jugé.

« Soit, dit-il. Reviens demain. Et n'omets[10] pas. Sinon, ma 45 prison t'attend. »

La nuit porte conseil, vous le savez. Le curé voulait réfléchir et il réfléchit longtemps. Il ne peut s'en tirer sans faire un sacrifice, cela est clair. Alors il se décide. Le lendemain, il se présente de nouveau à l'évêché, dans la salle des jugements.

50 « Eh bien, mauvais prêtre ?

– Monseigneur, je vous prie de m'entendre en confession, car j'ai peut-être commis une faute en effet. Vous m'imposerez la pénitence selon votre équité[11], je passerai ensuite plus tranquille devant le tribunal. »

4. Avare.
5. Les Égyptiens divinisaient les animaux.
6. L'évêque a sa justice particulière.
7. Accable.
8. Serviteur.
9. Ceux qui adorent les idoles, faux dieux aux yeux des chrétiens.
10. N'oublie pas.
11. Sens de la justice.

55 L'évêque ne peut pas refuser une pareille demande. Il s'éloigne avec le prêtre dans un coin de la salle, à l'abri des oreilles de tous. Le curé s'agenouille.

« Monseigneur, vous êtes mon juge devant Dieu. Si vous êtes d'opinion que j'ai péché en traitant mon âne comme je l'ai 60 fait, je me repens. Mais mon âne n'était vraiment pas un âne comme les autres, c'était un exemple, un modèle d'obéissance et de travail pour tous. Vingt ans il a peiné chez moi, tiré les carrioles, porté mes charges, et moi je le payais selon son mérite, tous les mois, comme un bon ouvrier qu'il était. En 65 vingt ans, il a économisé vingt livres[12], même un tout petit peu plus… Et par testament[13], lorsqu'il s'est senti mourir, il m'a demandé de verser le tout entre vos mains – à la seule condition que je veuille bien l'inhumer[14] en terre sainte pour que sa petite âme vaillante puisse reposer en paix dans l'éternité. 70 Voici la bourse de ses économies, Monseigneur. Est-ce qu'il fallait le décevoir ? Il me l'a demandé en souvenir de l'ânesse qui a porté Jésus le jour des Rameaux[15]. »

Le curé, sous sa cape, a montré discrètement une bourse. L'évêque la prend discrètement, il la soupèse et il la tâte tout 75 aussi discrètement. De sa main libre, déjà, il fait le geste qui pardonne.

« La miséricorde de Dieu est infinie, mon fils, et ses desseins sont impénétrables. Qu'il nous pardonne nos offenses à tous. Allez en paix et ne craignez rien. »

80 Quiconque a de l'argent assez, et un peu de jugeote, se tire toujours d'affaire en ce monde. C'est moi qui vous le dis, Rutebeuf, qui n'eut jamais un âne, ni un bœuf.

12. Une grosse somme, près de 5 000 deniers (voir p. 61).

13. Acte par lequel une personne indique à qui elle laisse ses biens après sa mort.

14. Enterrer.

15. Voir « Se documenter », p. 42.

Questions

Repérer et analyser

Le narrateur

1 **a.** Relevez les passages dans lesquels le narrateur s'adresse au destinataire.
b. Expliquez le jeu de mots de la ligne 82. Quel est l'effet produit ?

Les personnages

2 Dans le portrait du curé et de l'évêque (l. 1 à 22), relevez tous les mots et expressions qui s'opposent.
3 Relevez les mots et expressions qui caractérisent l'âne. L'animal est-il dépeint de façon méliorative ou péjorative ? À qui est-il comparé ?

La progression du récit

4 Quelle est la situation initiale ? Quel élément vient la modifier ?
5 **a.** Quel est le type de phrases dominant dans le discours de l'évêque (l. 29 à 37) ? Relevez des exemples.
b. Relevez les termes par lesquels l'évêque désigne le curé (l. 26, 33, 50, 77). Y voyez-vous une progression ?
c. À quel moment l'évêque change-t-il d'attitude à l'égard du curé ?
d. Quel adverbe est répété (l. 73 à 75) ? Quel est l'effet produit ?
6 Quel est le dénouement ?

Le discours argumentatif (voir p. 24)

7 **a.** Énumérez à partir de la ligne 58 les différents arguments qu'emploie le curé pour sa défense.
b. Pourquoi fait-il allusion au jour des Rameaux (voir « Se documenter », p. 42) ?
c. Quel est l'argument qui porte le plus ?

La satire des gens d'Église (voir p. 17)

8 Quelles critiques peuvent être adressées au curé ? à l'évêque ?
9 Cherchez dans le recueil d'autres hommes d'Église. Quels défauts leur sont reprochés ?

10 **a.** Dans les lignes 22 à 25, qui désigne le premier pronom « on » (« On vint à dire... ») ? Qui désigne le second « on » (« On pourrait tirer de lui une belle amende si on voulait ») ?
b. Pourquoi l'évêque est-il si sévère avec le curé ?

La visée du fabliau

11 **a.** Quelle est la leçon exprimée ? Est-elle morale ? Imaginez une autre leçon.
b. Quelles sont les visées du fabliau ? Appuyez-vous sur l'ensemble de vos réponses.

Enquêter

12 Menez une enquête dans votre famille et dans votre quartier sur les animaux de compagnie.
a. Pour quelles raisons tant de personnes ont-elles chez elles un animal de compagnie ?
b. Quels avantages y trouvent-elles ?
c. Quels peuvent en être les inconvénients ?
d. Consignez les résultats de votre enquête par écrit.

Comparer

13 Quels rapprochements pouvez-vous faire entre ce fabliau et deux des Lettres de mon moulin : « L'élixir du révérend père Gaucher » et « La mule du Pape » ?

S'exprimer

14 Vous avez peut-être déjà été témoin d'un attachement profond entre une personne et un animal. Faites un récit qui en témoignera.

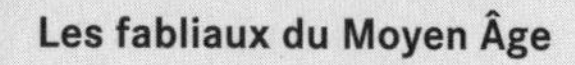

Se documenter

Rutebeuf

Rutebeuf est l'un des rares auteurs de fabliaux connus. Poète de profession, d'origine champenoise, il mena dans la seconde moitié du XIIIe siècle une vie difficile. Il expliqua lui-même avec malice son surnom : un rude bœuf, qui trace son sillon avec patience.
Il composa une œuvre variée, des poésies religieuses, des ouvrages satiriques, une des premières pièces de théâtre françaises, Le Miracle de Théophile et cinq fabliaux.
Il est surtout connu pour les poèmes dans lesquels il parle de lui, de ses souffrances, de sa pauvreté qui rend sa famille amère et éloigne ses anciens amis.

Ces amis-ci m'ont mal traité…
Je crois que le vent les a ôtés,
L'amitié est morte.
Ce sont amis que vent emporte
Et il ventait devant ma porte,
Aussi le vent les emporta.

Le jour des Rameaux

Peu de temps avant son arrestation et sa mort, Jésus entra dans Jérusalem, monté sur une ânesse. Le peuple coupa des rameaux de palmiers, en joncha la route devant lui et l'acclama.
Les chrétiens célèbrent le souvenir de ce jour le dimanche des Rameaux, huit jours avant Pâques.

Texte 6

Un jongleur en enfer

Auteur anonyme

Il y avait jadis, à Sens, un jongleur qui était très pauvre, mais c'était par sa faute, je suis obligé de le dire. Il perdait tout son argent aux dés, dans les tavernes[1]. Chaque fois il se disait qu'il allait gagner enfin, une bonne fois, et il arrivait qu'il gagne, bien sûr. Mais aussitôt il rejouait ce qu'il avait gagné pour gagner encore plus, et il reperdait tout, tout. Il ne lui restait jamais rien.

Un beau jour il mourut. Cela arrive. Un démon, qui n'avait pas réussi à trouver un chrétien pour l'enfer depuis des mois, fut trop content de s'emparer de son âme ; il la mit sur son dos et courut la porter à Satan.

Ses compagnons avaient été plus heureux que lui. Ils ramenaient de grosses prises : un moine, un roi, une princesse, un voleur, un évêque, un chevalier, trois richards, tous en état de péché mortel. Satan félicite chaudement ses rabatteurs[2].

« Très bon travail, les amis ! Mettez-les tous à la chaudière… Ah ! ah ! celui-là n'a pas l'air du même genre. Qu'est-ce que tu es, toi ? Un brigand, un félon[3] ?

– J'étais jongleur, Messire. Je chantais, je dansais, je faisais des tours…
Je chanterai pour vous, si vous voulez.

– Non, on ne chante pas ici, on fait du feu, c'est tout. Tu entretiendras la chaudière.

– Je veux bien, j'ai toujours eu froid.

– Bon, bon…

1. Auberges où l'on peut manger et surtout boire.

2. Hommes chargés de mener, par la force, le gibier vers les chasseurs.

3. Traître.

Faute de chansons, le temps ne passait pas vite. L'éternité n'en finissait pas de commencer.

Un beau jour pourtant, Lucifer[4] vient trouver le jongleur. Il était inquiet, mécontent, il manquait de personnel : tous les diables étaient dehors en même temps ; ils disaient que les temps étaient durs : les gens arrivaient tous à se confesser avant de mourir !... Mais Satan ne parvenait pas à le croire.

« Écoute, jongleur, il faut que j'aille sur terre voir un peu ce qu'ils font. Ils doivent s'amuser encore à je ne sais quoi... Toi, tu vas garder les âmes, ici, tout en surveillant le feu. Ce n'est pas difficile du tout, elles sont trop épuisées de chaleur pour tenter quoi que ce soit. Mais tout de même il faut veiller. Garde-les bien, sacré nom ! Je te crève les deux yeux si tu en perds une seule, tu as compris ?

– Je ferai attention.

– Tu as intérêt. Non seulement je te crève les yeux mais je te fais manger tout cru par mes diables quand ils reviendront si jamais il en manque une... Au contraire, si je suis content de toi, je te régalerai. Je ferai rôtir pour ta panse[5] un bon damné bien gras à la sauce au vin, un usurier[6], un hôtelier, ce que tu voudras.

– Je ferai très attention, Monseigneur. »

Le jongleur reste seul, avec son feu et avec ses âmes.

Mais saint Pierre, des grands balcons du ciel, avait vu Lucifer partir. Il arrive aussitôt, déguisé en mendiant, la barbe toute sale, vêtu de guenilles affreuses. Il connaît le jongleur, il sait ce qu'il fait. Il n'hésite pas : tout de suite il sort de ses poches une bourse pleine d'argent, un cornet, des dés, et il l'invite sans vergogne[7].

4. Satan, le Malin (autres noms du diable).
5. Ventre rebondi. Lucifer se moque du jongleur qui est maigre.
6. Homme qui prête de l'argent avec de très gros intérêts.
7. Honte.

« On joue, l'ami ? Ça a l'air mortel ici. Si on ne peut s'amuser à rien, ça doit être vraiment l'enfer ! Mais tu vois, je suis prudent, j'ai pris ce qu'il fallait. »

Le jongleur répond piteusement[8] :

« Je ne peux pas jouer, je n'ai rien à jouer ! Je n'ai que ma chemise et elle est toute trouée. Heureusement qu'il ne fait pas froid.

– Ah diable !... Mais dis donc, tu peux bien jouer une des âmes dont tu as la garde ? »

Le jongleur est de plus en plus triste :

« Eh non ! Lucifer m'a dit que si j'en perdais une seule, je serais mangé tout cru à son retour. Il doit tout de même savoir combien il y en a.

– Penses-tu ! Est-ce que tu le sais seulement, toi qui les gardes ?... D'abord, il ment comme il respire. Il est assez méchant pour te dire qu'il en manque une même si ce n'est pas vrai ; il déteste les innocents en général !

– Vous croyez ?

– Dame, c'est le Malin !... De toute façon, qu'est-ce que tu risques ? Ce n'est pas agréable d'être mangé, pour sûr, mais tu n'en mourras pas. On ne peut pas mourir ici !... Et puis en voilà une idée stupide de manger les gens tout cru quand il y a un feu pareil ; c'est diabolique !... Non, non, je plaisante, ami... C'est certainement toi qui vas gagner. Allez, je mets vingt sous d'enjeu. Toi, tu mets une âme, une seule, une toute petite si tu veux. »

Le jongleur va chercher une âme et la met sur la table.

Il gagne le premier enjeu, le deuxième, le troisième... puis il en perd cinq de suite. Déjà deux âmes pour saint Pierre ! Le jongleur va en chercher d'autres... Saint Pierre gagne, gagne... Il a une de ces chances ! D'ailleurs, quand il n'a pas la chance

8. D'un air malheureux.

pour lui, il l'aide ; il est très habile !... Bref, au bout d'un peu d'éternité, il a gagné pour lui toutes les âmes, toutes ; et aussitôt, tout de suite, il les fait sortir de l'enfer le plus vite qu'il peut. À tire-d'aile il les envoie au paradis. Ne reste en enfer que le 90 pauvre jongleur, tout stupéfait, tout triste, désespéré. Saint Pierre ne pouvait tout de même pas le prendre aussi, ce n'aurait pas été régulier du tout.

Lucifer revient. À la tête du jongleur, il se doute immédiatement de quelque chose. Il regarde, il ne voit plus de damnés 95 nulle part. Le feu brûle encore doucement, mais il n'y a plus une seule âme dans la chaudière, plus une seule dans le four.

« Dis donc, où sont nos âmes ? Tu sais ce que je t'avais dit.

– Il a triché, Monseigneur ! il a certainement triché. Un vieux mendiant est venu, un voleur sans doute, il avait de l'argent. 100 Il m'a proposé de jouer, j'ai cru que ce serait facile... Mais je n'ai jamais eu de chance. Il m'a tout pris, toutes mes âmes, enfin les vôtres, Monseigneur. Vous pouvez me manger tout cru, si vous voulez.

– Tu n'es même pas bon pour ça, misérable ! Ah ! ils sont 105 beaux, les jongleurs. Le meilleur d'entre eux ne vaut rien, je l'ai toujours dit. Le démon qui t'a amené ici va le payer cher, je t'assure. Il ne fait rien, il est gros et gras, c'est lui qui sera mangé... Quant à toi, fiche-moi le camp ! Oui, tout de suite. Je ne veux plus un seul jongleur en enfer, jamais, que ce soit 110 bien entendu. Ah ! je comprends maintenant pourquoi tant de gens disent là-bas : qu'ils aillent au diable ! On veut sans cesse me tromper. Eh bien, non, qu'ils aillent à Dieu ! »

Le jongleur ne se le fait pas dire deux fois. Sans dire adieu, il va à Dieu. Saint Pierre, au paradis, lui ouvre la porte tout 115 de suite, et les bras. Il se fait reconnaître :

« Oui, c'est vrai, j'ai un peu triché, mais il fallait bien, n'est-ce pas, tu es d'accord ? Tu vois que tu as eu de la chance quand même. Tu n'as qu'à te dire que nous jouions à qui perd gagne. »

Il fait monter le jongleur au septième ciel. Mais avant, il lui
120 a confisqué les dés, qu'il avait oubliés en bas, près de la chaudière.

Voilà pourquoi, Messires, je peux vous jurer qu'encore maintenant il n'y a pas un seul jongleur en enfer, bien que l'enfer se soit de nouveau rempli depuis mon histoire… Allez vérifier
125 vous-mêmes si vous ne me croyez pas. Mais faites attention, hein, saint Pierre ne passe pas tous les jours, et Lucifer se méfie maintenant. Vous pourriez y rester.

Questions

Repérer et analyser

Le narrateur et le cadre

1 **a.** Relevez les commentaires du narrateur.
b. Par quel nom et quel pronom désigne-t-il les destinataires ?
2 **a.** Quels sont les trois lieux qui servent de cadre à l'histoire ? Lesquels relèvent du merveilleux (voir p. 23) ? Lequel est un lieu réel ? Dans quelle partie de la France se trouve-t-il ?
b. Dans quel lieu l'action se déroule-t-elle principalement ? Quel champ lexical caractérise ce lieu ?
c. Quels avantage et inconvénient ce lieu présente-t-il pour le jongleur ?

La progression du récit

3 **a.** Quelle est la situation initiale ?
b. Quel événement vient modifier cette situation ? Quelle indication temporelle annonce cette modification ?
4 Quelles sont les différentes péripéties ? Par quelles entrées ou sorties de personnages sont-elles marquées ?
5 Quel est le dénouement ?
6 Quelle est la situation finale ?
7 Comparez le début et la fin du récit. Y a-t-il évolution ?

Les personnages

Le jongleur
8 **a.** Qu'est-ce qu'un « jongleur » au Moyen Âge ? (Voir p. 4.)
b. Comment le narrateur explique-t-il la pauvreté du jongleur ?

Lucifer
9 **a.** Relevez les mots qui désignent Lucifer.
b. Montrez, en citant le texte, que Lucifer se comporte en maître.

Les diables
10 **a.** Relevez dans les lignes 8 à 15 tous les mots appartenant au champ lexical de la chasse.
b. À qui les diables sont-ils comparés ?

Saint Pierre

11 **a.** Que cherche-t-il à obtenir ? Comment s'y prend-il ?
b. Trouvez dans le texte un adjectif qui le qualifie.
c. Expliquez : « Quand il n'a pas la chance pour lui, il l'aide » (l. 85-86).

12 Quel personnage a pris le dessus sur tous les autres ?

Le comique

Le comique de situation

13 Quelles menaces Lucifer adresse-t-il au jongleur (l. 41 à 46) ? Comme le fait remarquer saint Pierre (citez le texte), qu'ont-elles de ridicule ?

Les jeux sur les mots

14 Relevez les jeux de mots concernant la mort, l'éternité, le diable et Dieu. Quel est l'effet produit ?

La visée du fabliau

15 Quelles sont les visées de ce fabliau ?
Appuyez-vous sur l'ensemble de vos réponses.

Enquêter

16 Cherchez les expressions connues qui utilisent le mot « diable ». Exemple : « Tirer le diable par la queue. » Donnez leur sens.

Mettre en scène

17 Mettez en scène soit la chasse aux âmes et l'arrivée du jongleur en enfer (l. 1 à 25), soit la partie de dés (l. 49 à 92). Vous reprendrez les dialogues du texte en les modifiant au besoin. Improvisez un costume pour chaque personnage et n'oubliez pas les accessoires : une marmite, une fourche, un cornet, des dés.

Texte 7

Les trois aveugles de Compiègne

Courtebarbe

Il fait bon écouter les fabliaux, Messires. Si le conte est joliment fait, on oublie tout ce qui est désagréable, même les douleurs du corps, même les souffrances du cœur, même les injustices des méchants. Voilà pourquoi je suis fier de mon 5 métier, moi, Courtebarbe. Ouvrez grandes vos oreilles, si vous voulez vous divertir.

Il y avait une fois trois aveugles, sur la grand-route qui va de Compiègne vers Senlis. Ils marchaient tout seuls, les pauvres, car ils l'étaient rudement, pauvres ! Ils n'avaient pas 10 de quoi se payer quelqu'un pour les conduire, même un chien. Ils ne possédaient chacun que leur sébile[1] pour mendier.

Un clerc[2], assez riche, qui s'en venait de Paris monté sur un fort beau cheval, accompagné d'un écuyer lui-même à cheval, les rencontra. C'était un homme malin, habile à bien faire 15 quand il le voulait, mais habile aussi à tromper et à duper[3] quand il lui en prenait l'envie. Il se défiait donc assez des gens, en général. Lorsqu'il aperçut les trois aveugles tout seuls sur la route, sans personne pour les guider, cela lui parut louche. Il se demanda s'ils étaient vraiment aveugles : « Je vais bien 20 voir, se dit-il. Je vois, moi. Je vais leur jouer un de ces tours ! »

Les aveugles, qui avaient entendu les deux chevaux, se rangent comme ils peuvent sur le côté de la route et demandent l'aumône :

1. Coupe en bois qui sert à quêter.
2. Homme d'Église qui porte la tonsure, sans être forcément prêtre. Étudiant.
3. Tromper, berner.

« Aidez-nous si vous le pouvez, Messeigneurs, nous sommes
25 pauvres autant qu'on peut l'être. Ils sont encore plus pauvres que les autres ceux qui ne voient pas.

– Eh bien, tenez, mes braves, dit le clerc. Il se faut entraider, vous avez raison. Voilà un bon besant en or[4], je vous le donne pour tous les trois.

30 – Dieu vous le rende, Monseigneur ! c'est une très belle aumône. »

Chacun des trois croit qu'il a donné la pièce d'or à l'un des deux autres… Le clerc les regarde en souriant, sans mot dire. « Allons-y, Bijou », fait-il à son cheval, et il reprend la route.
35 En réalité, il ne va pas bien loin. Il veut voir ce qui va se passer, comment les pauvres hères[5] vont se partager une seule pièce qu'ils n'ont pas. Il descend de sa bête un peu plus loin et revient doucement en arrière. Il entend un des trois aveugles qui dit aux autres :

40 « Ça, au moins, c'est un homme généreux, il ne s'est pas moqué de nous !… Je serais d'avis de retourner à Compiègne, qu'est-ce que vous en pensez ? Depuis le temps que nous n'avons pas fait un vrai repas !… On peut en faire de bons à Compiègne, il paraît.

45 – Tu parles d'or, l'ami, comme le besant !

– Je voudrais déjà y être, cré Nom ! Allez, on retourne. »

Ils rebroussent chemin, ils rient, ils plaisantent, ils sont heureux. Le clerc les suit, il veut voir la suite !

Arrivés à la ville, les aveugles entendent crier[6] sur la grande
50 place, devant une auberge :

Venez goûter le vin nouveau,
Nous en avons plein nos tonneaux !

4. Monnaie de Byzance (Constantinople) où sont allés les Croisés. Le besant vaut environ une livre, ou 20 sous, ou 240 deniers : c'est une belle somme. Voir « Se documenter », p. 61.

5. Vagabonds, miséreux.

6. Au Moyen Âge, on criait dans les rues les annonces, en vers, de certains commerces.

Vin d'Auxerre et vin de Soissons
Pour accompagner le mouton !
Vin de Beaune et vin de Mâcon
Pour accompagner le cochon !
Venez manger chez nous, bonnes gens,
Nous vous promettons du bon temps.

Les aveugles n'hésitent guère. Sans même avoir besoin de se consulter, à l'odeur de la cuisine, ils se dirigent vers l'auberge. Ils se préoccupent seulement de n'être pas chassés et ils préviennent tout de suite le patron :

« N'ayez pas peur, patron, nous n'avons pas de beaux habits mais nous avons de l'argent, aujourd'hui, et nous avons faim. Servez-nous aussi bien que vous pourrez, à part, car c'est plus commode pour nous. Vous ne le regretterez pas. »

Le patron les croit car effectivement les gens pauvres ont parfois de l'argent qu'ils dépensent vite. Il les conduit dans la salle du haut :

« Entendu, Messires, vous serez servis comme des princes et je suis d'avance content pour vous. Je fais tout préparer, mettez-vous à votre aise. »

On fait flamber le feu et ils n'attendent pas trop longtemps. Repas à cinq services ! Le patron leur fait donner de toutes les viandes, de tous les poissons, de tous les pâtés, de tous les fruits qu'il a, et autant de vin qu'ils en veulent. Ah ! ils ne s'ennuient pas, nos trois gaillards ! Ils chantent, longtemps… et puis ils vont se coucher dans une grande chambre ; les lits sont doux et très bien faits.

Le clerc lui aussi, bien sûr, était entré dans l'auberge. Il avait même dîné avec le patron, c'est dire… Le lendemain, le patron fait ses comptes avec son valet : « Pour les aveugles, les cinq services, le vin, le coucher, 10 sols[7]… Pour le clerc, son écuyer

7. Ou sous. Voir « Se documenter », p. 61.

et ses chevaux, 5 sols… Ça peut aller… Va faire payer les aveu-
85 gles tout de suite, mon gars, c'est tout de même plus prudent. »

Le valet monte, les aveugles étaient en train de s'habiller.

« Vous avez bien dormi, Messires ?… Mon maître souhaiterait que vous le régliez tout de suite, s'il vous plaît.

– Oui, oui. À combien, la note ?

90 – Dix sols.

– Ça va, ce n'est pas trop cher. »

Les aveugles descendent, guidés par le valet. Le clerc descend derrière eux, il se met dans un coin, il regarde et écoute.

« Nous avons un bon besant d'or, patron. Pouvez-vous nous
95 le peser exactement[8] et nous rendre la monnaie ?

– Volontiers, mes amis.

– Qui est-ce qui l'a ? C'est toi, Robert ?

– Non.

– C'est donc Barbe-fleurie ?

100 – Eh non, ça doit être toi.

– Pas du tout.

– C'est toi, alors ?

– Mais non, je te dis.

– Alors, qui c'est ? »

105 Le patron commence à s'impatienter et à s'inquiéter :

« Ah ! dépêchez, s'il vous plaît. Si vous ne payez pas, je vous fais enfermer. Les sergents[9] seront vite ici. »

Les aveugles recommencent leurs discussions :

« Mais enfin, Robert, c'est toi qui l'as reçu, tu marchais le
110 premier.

– Dis donc, les hommes à cheval étaient derrière, je les ai bien entendus.

– Je suis sûr que c'était toi le plus près.

8. On pesait les pièces d'or, car elles n'avaient pas toutes le même poids ; certaines étaient usées.

9. Officiers de justice qui faisaient régner l'ordre.

– J'ai compris, dit le patron. Vous m'avez roulé. Un bâton,
115 tout de suite. »

Le clerc, dans son coin, riait tout ce qu'il savait. Il s'approche du patron et lui demande ce qu'il y a.

« Ces bandits-là ont bu et mangé autant qu'ils voulaient, ils m'ont tous dit qu'ils avaient de l'argent, et maintenant
120 aucun des trois ne veut payer. Mais je ne me laisserai pas faire. S'ils ne veulent pas payer comme ça, ils paieront autrement, je vous le jure bien.

– Bah ! mettez ça sur mon compte. Ils vous devaient beaucoup ?

125 – Dix sols.

– Eh bien, inscrivez que je vous dois quinze sols. Il faut avoir pitié des pauvres.

– Volontiers, dit le patron. Vous êtes généreux, Messire. Si tous les clercs étaient comme vous... »

130 Les aveugles le remercient et ils s'en vont tout contents.

Le clerc, en fait, était bien décidé à ne rien payer du tout. Écoutez comment il s'y prit. On sonnait la messe juste à ce moment.

« Patron, dit-il, vous connaissez bien votre curé, n'est-ce
135 pas ? Vous avez confiance en lui ?

– Parbleu.

– Ces quinze sols, vous ne verriez pas d'inconvénient à ce que ce soit lui qui vous les remette ?

– Pas du tout, je le connais depuis quinze ans, je lui ferais
140 crédit de quinze livres[10] !

– Eh bien, venez avec moi à la messe. Nous avons des comptes ensemble et je lui dirai de vous payer. Vous, dites à vos domestiques qu'ils nous laissent partir normalement avec nos chevaux et nos bagages dès que je reviendrai.

10. Une somme considérable. Voir « Se documenter », p. 61.

145 – D'accord. Tout à votre service. »

Le clerc va donner l'ordre à son écuyer de tout préparer pour un départ rapide, puis il s'en va à l'église avec le patron. Ils assistent au début de l'office. Déjà l'on allait commencer la messe proprement dite.

150 « Oh ! mais c'est une messe chantée, dit le clerc tout à coup, j'avais oublié que c'était fête aujourd'hui. Je n'aurai guère le temps d'attendre la fin… Je vais régler mes comptes avec le curé tout de suite, si je peux. Après la messe vous irez à la sacristie lui demander vos quinze sols.

155 – Comme vous voudrez, dit le patron. J'ai confiance en vous deux. »

Le clerc se rend à la sacristie[11] où le curé, déjà, était en train de mettre sa chasuble[12]. Il prend son air le plus franc, le plus noble, le plus dévoué.

160 « Écoutez-moi quelques instants, Messire, cela vaut la peine. Il faut se signaler les choses entre clercs. L'un de vos paroissiens, Nicolet, vous le connaissez ? J'ai logé à son hôtel cette nuit.

– Oui, c'est certainement un très brave homme.

– Je n'en doute pas, il a l'air sans malice, mais il a eu une 165 de ces crises, hier soir… et sa femme m'a dit que c'est la troisième depuis cinq jours. Une vraie folie du démon. J'ai fait ce que j'ai pu, tout de suite, j'ai récité les prières, et il s'est calmé. Mais ça peut revenir. Il a encore très mal à la tête… Tenez, voici douze deniers[13]. Je vous demande, aussitôt après votre 170 messe, de lui lire un Évangile sur la tête. Il est d'accord, il viendra lui-même à la sacristie.

– C'est si grave que ça ? demande le curé.

– Oui, il me semble. Mieux vaut chasser le Malin[14] tout de suite, si c'est lui.

11. Pièce attenante à l'église, où l'on range les vêtements et les objets du culte.
12. Sorte de cape que porte le prêtre pendant la messe.
13. Très petite somme.
14. Le diable.

175 – Bien, je le ferai. Merci de m'avoir prévenu. Je m'occuperai de lui. »

Le clerc fait signe au patron qu'il s'est entendu avec le curé et il s'en retourne tout de suite à l'hôtel où son écuyer a fait seller les chevaux. Tous deux partent immédiatement ; les 180 chevaux trottent.

Là-bas la messe se termine. Aussitôt l'*Ite missa* est[15], le patron de l'hôtel va à la sacristie chercher ses quinze sols. Le curé est déjà prêt pour l'exorcisme[16]. Dès qu'il voit le patron, il prend l'évangéliaire[17] :

185 « Venez sans crainte, Nicolet, mettez-vous à genoux ici.

– Qu'est-ce qu'il y a, monsieur le curé, je ne viens pas à confesse, je viens chercher mes quinze sols.

– Mettez-vous à genoux, répète le prêtre, et ne dites pas de balivernes[18]. Restez calme, je vais vous imposer[19] le Saint Livre.

190 – Mais pour quoi faire ?

– Vous le savez bien, mon ami. Vous aussi vous voulez être soulagé, n'est-ce pas ? Mettez-vous à genoux.

– Dites donc, vous vous moquez de moi !... Écoutez, j'ai beaucoup de travail à mon hôtel, payez-moi mes quinze sols 195 tout de suite, sans plaisanter. »

Le prêtre soupire. Sans répondre, il essaie de le faire se baisser un peu et de lui mettre l'évangéliaire sur la tête. Le patron se fâche pour le coup, il se relève brutalement, il menace le curé :

« Ça suffit maintenant. Je vous ai dit que j'étais pressé. On 200 ne joue pas avec les choses saintes, et je ne suis pas plus possédé que vous, vous le savez bien. Donnez-moi l'argent que vous me devez, ou sinon... Vous savez que je suis à cheval sur mes droits. »

15. Formule latine pour dire aux fidèles : « Allez, la messe est dite. »
16. Acte religieux par lequel le prêtre chasse les démons du corps d'un possédé.
17. Livre contenant les passages de l'Évangile lus pendant les offices religieux.
18. Sottises.
19. Poser sur le possédé l'évangéliaire.

Le prêtre a peur et appelle à l'aide. Il y a encore pas mal de
205 fidèles dans l'église, ils accourent.

« Tenez-moi Nicolet, il a une crise, il devient fou[20].

– Moi ! Par saint Corneille, vous en avez menti. Je le jure sur la tête de ma fille, vous me paierez mes quinze sols !

– Tenez-le bien. »

210 Les gens le prennent, ils lui tiennent durement les bras et les mains tout en lui disant des paroles de réconfort, en essayant de le calmer. Aussitôt qu'ils l'ont fait mettre à genoux, le prêtre se dépêche, il lui passe l'étole[21], l'asperge copieusement d'eau bénite, puis il lui met l'évangéliaire sur la tête et il lui lit tous
215 les textes où Jésus chasse les démons, en entier.

Le patron de l'hôtel est bien obligé de se laisser faire. Il ne bouge pas, il veut en être quitte le plus tôt possible pour aller voir si le clerc est parti. Le curé le lâche enfin après les signes de croix.

220 « Que Dieu vous garde en sa sainte protection, Messire. »

Nicolet ne peut rien répondre : c'est encore lui qui aurait tort. Il est sûr maintenant que le clerc est parti. En effet, à l'hôtel[22], plus personne. On ne sait même pas la direction que les deux hommes ont pu prendre. Comment savoir d'ailleurs
225 s'ils n'en auraient pas indiqué une fausse ?

C'est égal, moi, Courtebarbe, je dis qu'il y a des gens instruits qui n'ont guère de scrupules, et d'autres gens, honnêtes, que l'on traite parfois de façon bien honteuse, bien injuste. Est-ce vrai ou non ? Si mon fabliau vous a distrait, comme je l'es-
230 père, permettez-moi de vous poser la question. Chacun de vous peut répondre.

20. Au Moyen Âge, les fous sont considérés comme possédés du diable.

21. Bande d'étoffe que le prêtre passe autour du cou du possédé.

22. Ici, auberge.

Questions

Repérer et analyser

Le narrateur

1 **a.** Qui est le narrateur ? À qui s'adresse-t-il ? Citez le texte.
b. Les destinataires premiers des fabliaux sont-ils des auditeurs ou des lecteurs ? Citez le texte à l'appui de votre réponse.

2 Dans la suite du texte, retrouvez les passages dans lesquels le narrateur commente l'action. Dans quelles phrases prévient-il le destinataire de ce qui va se passer ? Quel est l'effet produit ?

Le cadre spatio-temporel

3 **a.** Relevez les indications de lieu. Quels sont les différents lieux dans lesquels se déroule l'action ? Dans quelle partie de la France ?
b. L'action se passe-t-elle à la campagne comme dans un grand nombre de fabliaux ?

Les fabliaux présentent une peinture réaliste (qui dépeint la réalité telle qu'elle est) de certains aspects de la vie au XIIIe siècle. Ils accordent souvent une place importante aux plaisirs de la table et de la vie.

c. Relevez tous les détails évoquant l'auberge. Est-elle confortable ? Justifiez votre réponse.
d. Qu'est-ce qu'un repas à cinq services ?

4 Relevez les indications temporelles. Que pouvez-vous en déduire sur la durée approximative de l'action ?

La progression du récit

5 **a.** Quelle est la situation initiale ?
b. Quel est l'élément modificateur ?
c. Quelles actions s'enchaînent ensuite ? À quel moment y a-t-il un rebondissement de l'action ?
d. Quel est le dénouement ?
e. Quelle est la situation finale ?

6 Comparez le début et la fin du fabliau. Quel personnage avait le dessus au début du récit ? L'a-t-il toujours à la fin ? Pour qui la situation s'est-elle dégradée ? Pour qui s'est-elle plutôt améliorée ?

Les relations entre les personnages

7 **a.** Faites la liste des personnages.
b. Quels personnages disparaissent à partir de la ligne 130 ?
c. Lequel n'apparaît qu'à partir de la ligne 134 ?
d. Quel personnage est présent d'un bout à l'autre du récit ?

Le clerc

8 **a.** Relevez les mots et expressions qui caractérisent le clerc.
b. Trompe-t-il son prochain par besoin d'argent ? pour se tirer d'un mauvais pas, comme dans les autres fabliaux, ou pour d'autres raisons ?
c. Lorsque la plaisanterie risque de mal tourner pour les aveugles, comment réagit-il ?
d. À partir de vos réponses, caractérisez le clerc à l'aide de quelques adjectifs.

L'aubergiste

9 **a.** Comment l'aubergiste traite-t-il les aveugles quand il les croit riches ?
b. De quoi les menace-t-il lorsqu'il réalise qu'ils n'ont pas d'argent ?
10 Définissez les relations d'alliance ou d'opposition qui s'instaurent entre les personnages au fil du texte.

Le mode de narration

Le discours direct

La narration peut s'interrompre pour rapporter directement les paroles des personnages : c'est le discours direct, qui peut prendre la forme d'un dialogue. Le discours direct est signalé par des guillemets, des tirets, des retours à la ligne et il est le plus souvent introduit par un verbe introducteur. Le discours direct permet de caractériser un personnage, d'éclairer un comportement, de faire avancer l'action. Il donne plus de réalité à une scène : il restitue le niveau de langage des personnages ainsi que les marques de l'oralité (hésitations, interjections, jurons...).

11 **a.** Les dialogues sont-ils nombreux dans ce fabliau ?
b. Relevez quelques marques d'oralité.
c. Relevez un exemple de dialogue qui fait progresser l'action puis un exemple de dialogue qui permet de caractériser un personnage.

Le comique

Le quiproquo (voir p. 13)

12 Pourquoi peut-on parler de quiproquo dans la scène de l'exorcisme ? Qu'est-ce que Nicolet réclame au prêtre ? Que croit le prêtre ? Justifiez vos réponses.

La leçon du fabliau et sa visée

13 **a.** Quelle est la visée du fabliau ? Citez le texte.
b. Quelle question pose le narrateur à la fin du fabliau ? Imaginez une moralité à ce fabliau.

S'exprimer

14 Faites en quelques lignes le portrait de l'aubergiste à la manière de celui du clerc (l. 12 à 17).
15 Récrivez ce fabliau sous forme de texte théâtral. Procédez à un découpage du texte pour le diviser en scènes et n'oubliez pas d'inclure des didascalies.
16 Brossez le décor de la scène qui se déroule à l'auberge (croquis, peinture…).
17 Jouez les scènes que vous avez écrites.

Se documenter

Les mendiants au Moyen Âge

À cette époque, on se méfiait des aveugles et des mendiants en général, surtout lorsqu'ils étaient infirmes. En effet, beaucoup d'entre eux exhibaient de fausses infirmités pour extorquer de l'argent aux gens charitables. Selon une ordonnance du roi de France, qui s'élève contre eux : « ils feignent d'être débiles de leurs membres, portant bâtons sans nécessité et contrefont maladies, plaies sanglantes, enflures d'enfants par application de drapeaux emplâtrés (étoffes couvertes d'une sorte d'enduit), peinture de safran, de farine, de sang et autres

couleurs fausses... et se laissant tomber en la plus grand rue passant ou en la plus grande compagnie et assemblée qu'ils pourront aviser, comme une procession générale, jetant par la bouche et les narines sang fait de mûres, de vermillon ou autres couleurs, le tout pour extorquer injustement les aumônes qui sont dues aux vrais pauvres de Dieu ».

Robert Delort, La Vie au Moyen Âge, Lausanne, Éd. Edita, 1972 ; Paris, Éd. du Seuil, coll. « Points », 1982.

Les monnaies au XIIIe siècle

Une livre vaut 20 sous ou 240 deniers.
Un sou vaut 12 deniers.
Un denier est l'unité de base.
Un demi-denier est une maille, d'où l'expression : « Sans sou ni maille ».

Texte 8

Le curé qui mangea des mûres

Auteur anonyme

Un curé voulait aller au marché. Il fit seller sa mule et hop ! le voilà parti. On était en septembre, il faisait beau, la tiédeur de l'air était toute parfumée, et le curé sur sa mule lisait doucement son bréviaire[1] en regardant sa belle campagne… Peu à
5 peu, tout de même, il s'approchait du bourg, lorsqu'il vit, débouchant sur la route, un chemin creux joli, joli, avec par-delà le fossé un buisson couvert de grosses mûres noires. « Sainte Vierge, dit le curé, jamais je n'ai vu d'aussi belles mûres ! »

Il entre dans le chemin, il regarde la profondeur du fossé,
10 hésite un peu, mais il se décide : il y engage sa mule avec prudence et l'arrête juste devant le buisson. Il cueille, il cueille tendrement, et il se recueille pour mieux savourer. Les mûres fondent dans sa bouche, elles sont exquises. Qu'importe s'il doit se piquer un peu la main et les poignets ! Il ne faut pas
15 laisser perdre les dons de Dieu.

Cependant les mûres les plus belles sont aussi les plus hautes. Elles sont toutes fraîches, toutes brillantes dans le soleil. Pour les cueillir, le curé, maintenant, monte tout debout sur la mule ; il s'assure bien, et il se régale à loisir. La mule est sage comme
20 une image, elle ne bouge pas d'un pouce.

Sa gourmandise un peu calmée, le curé la regarde, tout attendri. Il admire qu'elle ait pu rester si longtemps pareillement tranquille : « La bonne bête ! Si jamais quelqu'un criait "*Hue*[2]", je ferais une belle culbute. »

1. Livre de prières que doit lire le curé chaque jour.

2. Interjection dont on se sert pour faire avancer un cheval, ici une mule.

25 Le malheureux ! Il avait pensé tout haut, il avait dit : *Hue !* La mule détale, le curé tombe. Sa cheville s'est enflée d'un coup, le fossé est boueux, il n'arrive pas à se dépêtrer dans sa soutane[3], il glisse, il souffre, impossible de tenir debout, il retombe. La mule le regarde, elle revient sur la route, elle 30 a envie de manger elle aussi, elle se met au petit trot pour regagner son presbytère[4].

Quand ils la voient rentrer, toute seule, les domestiques s'inquiètent : « Notre curé a eu un malheur, disent-ils, il est peut-être mort. Faut aller voir. » Ils partent aussi vite qu'ils 35 peuvent et passent près du chemin creux. Le curé les entend, il crie :

« Ho ! Ho ! Je suis là ! Je suis dans le fossé. J'ai des épines partout, aidez-moi !

– Mais qu'est-ce que vous faites là-dedans, monsieur le curé ? 40 Agrippez-vous, allez-y... Comment donc êtes-vous tombé là ? Ce n'est pas sur la route.

– Ah ! mes amis, c'est le péché, le péché. J'avais beau lire mon bréviaire, les mûres m'ont induit en tentation[5]. Je suis monté sur la selle ! Ramenez-moi tout de suite, je vous en prie. 45 Je suis moulu. »

Il ne faut jamais penser tout haut, Messeigneurs.

3. Longue robe portée par les ecclésiastiques, noire pour les curés.

4. Demeure du curé.

5. M'ont amené à pécher.

Questions

Repérer et analyser

Le narrateur et le cadre

1 **a.** Relevez les commentaires du narrateur.
b. Quel mot désigne les destinataires ?

2 En quelle saison la scène se déroule-t-elle ? Quel temps fait-il le jour où le curé part sur sa mule ?

3 Relevez les indications de lieu. Où est le curé au début du récit ?

La progression du récit

4 Quelle est la situation initiale ? Quel est l'élément déclencheur ?

5 Reconstituez l'enchaînement des actions à partir de la ligne 9.

6 **a.** Qu'est-ce qui cause la chute du curé ?
b. À quoi le curé attribue-t-il sa chute ? Citez le texte.

7 Quel est le dénouement ? Comparez le début et la fin du fabliau. La situation du curé a-t-elle changé ?

Le mode de narration

8 **a.** À quels temps sont les verbes du premier paragraphe ?
b. Quel autre temps est utilisé à partir de la ligne 9 ? Quelle est la valeur de ce temps ? Quel est l'effet produit ?

9 **a.** Relevez les verbes dans les lignes 26 à 29. Sont-ils nombreux ?
b. À quel champ lexical appartiennent-ils ? Quel est l'effet produit ?

La description

Une description est méliorative quand elle donne une vision séduisante de la réalité. Elle est péjorative dans le cas inverse.

10 Relevez les mots et expressions qui caractérisent le paysage puis les mûres. S'agit-il d'une description méliorative ou péjorative ?

La satire des gens d'Église (voir p. 17)

11 **a.** Relevez les mots et expressions appartenant au champ lexical du plaisir de la bouche (l. 11 à 19).

b. De quel défaut du curé le fabliau se moque-t-il ? Est-il aussi grave que ceux des ecclésiastiques des fabliaux précédents ?
c. En quoi la réflexion du curé : « Il ne faut pas laisser perdre les dons de Dieu » (l. 14-15) prête-t-elle à sourire ?

La leçon du fabliau et sa visée

12 Quelle est la visée du fabliau ? Est-ce une leçon de morale ? Imaginez une autre leçon.

S'exprimer

13 Transformez le paysage décrit lignes 1 à 7 en paysage d'hiver.
14 Imaginez un fabliau dont la moralité serait : « la parole est d'argent, mais le silence est d'or ».

Se documenter

La place de l'église dans le village

« C'est cette église [...] qui, plus que le château [...], marque la vie rurale et cimente[1] la communauté des paysans ; c'est à l'église qu'ils vont assister à la messe dominicale, ouïr les sermons, apprendre les nouvelles, voire se réunir pour mener une action contre le seigneur. Ils y communient dans le culte d'un saint patron vénéré, y reçoivent les sacrements, y font baptiser leurs enfants, enterrer leurs parents. Ils entretiennent le bâtiment, voire le fortifient pour s'y réfugier au besoin ; ils paient la dîme[2] sur son seuil, organisent le marché ou la foire sur la place qu'il domine, y accueillent les pèlerins, les étrangers. Les pauvres y reçoivent un complément de nourriture. La cloche de l'église anime les différentes heures du jour, et l'angélus[3] du soir rappelle les travailleurs. »

Robert Delort, La Vie au Moyen Âge, op. cit.

1. Unit et consolide.
2. Un impôt.

Texte 9

La vieille qui graissa la patte au chevalier

Auteur anonyme

Une vieille femme ne possédait à elle en tout et pour tout que deux vaches. C'est peu sans doute mais c'était beaucoup pour elle. Elle vivait de leur lait.

Un jour hélas les deux vaches, mal attachées, se sauvèrent ensemble ; le prévôt[1] les trouva qui vagabondaient toutes seules en dehors du communal[2] et il les emmena purement et simplement.

La vieille l'apprend, elle veut récupérer ses bêtes. Mais le prévôt ne veut rien savoir, alors même que la vieille accepte de payer l'amende : il n'a pas la preuve que les vaches sont bien à elle, dit-il !

Pauvre vieille ! Elle s'en retourne toute triste. Elle explique à sa voisine ce qui lui arrive. « Eh ! je comprends, dit la voisine. Ces gens-là veulent toujours qu'on leur graisse la patte et ils s'entendent comme larrons en foire. Si tu arrives à graisser la patte au chevalier[3], il parlera au prévôt, et on le croira, lui. Le prévôt te rendra tes vaches. »

La vieille rentre chez elle, elle est décidée. Elle prend un bon morceau de lard, elle attend le chevalier devant sa grande maison tout le temps qu'il faut. Lorsqu'il arrive, lorsqu'elle est sûre que c'est lui, là-bas, devant elle, qui pérore[4] avec ses

1. Officier chargé de maintenir l'ordre et de faire respecter la justice du seigneur.
2. Terrain appartenant au seigneur, mais où les villageois ont le droit de mener paître leurs bêtes.
3. Noble qui joue un rôle important dans le village.
4. Fait de beaux discours ; terme péjoratif.

courtisans les mains derrière le dos, elle s'approche doucement sans se faire voir et lui graisse largement les paumes.

Le chevalier se retourne, il voit la vieille :

25 « Mais qu'est-ce que tu fais là, bonne femme ? lui dit-il.

– Sire, je vous graisse un peu pour ravoir mes vaches, vous savez, les deux vaches qui s'étaient égaillées[5]. Elles sont à moi. »

Le chevalier n'est pas un mauvais homme, il éclate de rire :

« Ah ! la brave vieille, dit-il. Tu n'as pas bien compris mais 30 ça ne fait rien. Tu auras tes vaches, je te le promets. »

L'histoire finit bien, mais elle vous rappelle quelque chose que vous avez déjà remarqué, probablement. Même pour qu'on reconnaisse ses droits, le pauvre doit souvent payer. Est-ce juste ?

Le chevalier soutient les faibles. Manuscrit de Minnesingers.

5. S'étaient dispersées, éparpillées.

Questions

Repérer et analyser

Le narrateur et le cadre

1 **a.** Relevez les commentaires du narrateur.
b. Quel pronom personnel désigne les destinataires ?
2 Dans quel cadre cette scène se déroule-t-elle ?

La progression du récit

3 **a.** Quelle est la situation initiale ?
b. Quel est l'élément modificateur ? Par quelle indication temporelle est-il introduit ?
c. Quelles actions s'enchaînent ?
d. Quel est le dénouement ?

Les personnages

4 À quels détails voyez-vous que la vieille femme est pauvre, honnête et peu instruite ?
5 Quel est le prétexte invoqué par le prévôt pour ne pas rendre ses vaches à la vieille ?
6 De quoi la voisine accuse-t-elle le prévôt ? Que signifie l'expression : « Ils s'entendent comme larrons en foire » (l. 15) ?
7 Quelles sont les réactions du chevalier quand la vieille lui « graisse la patte » ?

Le comique

Le jeu sur les mots et le quiproquo

8 **a.** Que signifie l'expression « graisser la patte à quelqu'un » ?
b. Sur quel quiproquo (voir la leçon, p. 13) est construit ce fabliau ?

La visée du fabliau

9 Quelle visée le narrateur tire-t-il de cette histoire ? Est-elle toujours d'actualité ?

S'exprimer

10 Vous avez pris au pied de la lettre une expression imagée. Racontez de manière amusante votre erreur.

11 Faites le portrait d'une vieille femme.

Se documenter

Le communal

Les paysans ont accès au communal, c'est-à-dire au terrain qui appartient au seigneur. Chacun peut y faire ce qui lui semble utile, pourvu que cela ne nuise pas au seigneur. On y mène le porc à la glandée, on y ramasse du bois mort, on y cueille des fleurs ou des fruits, on y glane après la moisson.

Le prévôt

Le seigneur, pour faire respecter son droit, utilise les services du prévôt; il ne traite pas directement avec les paysans. Partiaux, brutaux, exigeants, les prévôts, qui n'étaient que des agents d'exécution, étaient redoutés et détestés.

Texte 10

Les perdrix

Auteur anonyme

Ceci n'est pas un conte ni une fable, Messires, c'est une histoire vraie, toute vraie. Figurez-vous qu'un paysan, un jour, trouva par hasard deux perdrix dans un buisson tout près de sa ferme. Elles avaient dû se heurter en plein vol, et tomber 5 là à peu près mortes. Cela n'arrive pas souvent.

Le paysan tout heureux les donna à sa femme pour qu'elle les fasse cuire à la broche et il s'en alla inviter le curé... Mais la femme alla bien plus vite que lui, les perdrix furent cuites longtemps avant qu'il revienne.

10 La femme les retire de la broche. Hum ! quelle bonne odeur ! Elle pince un petit bout de peau rôtie, et la mange. Hum ! quelle bonne saveur ! La femme est très gourmande. Quand Dieu lui envoie des bonnes choses, elle ne les met pas de côté, elle ne les met pas l'une sur l'autre, elle n'amasse pas ; oh ! non, elle 15 se satisfait tout de suite. Hop ! elle attaque si ferme maintenant l'une des perdrix qu'en moins de deux elle en mange les deux ailes... Exquises !... La femme est un peu inquiète tout de même. Elle va jusqu'au milieu de la rue pour voir si son mari n'apparaît pas. Personne ! C'est honteux de faire attendre 20 les gens comme ça ! Comment peut-on avoir de la bonne cuisine ?... Les deux ailes lui ont donné faim. Si elle tâtait un peu du reste ?... Elle en mange un peu, un peu, encore un peu, si bien que ce serait maintenant un crime d'en laisser. Finie la première perdrix !

25 Et si elle mangeait la seconde ? Elle sait bien comment elle s'en tirera si son mari lui demande où elles sont passées. Elle dira que les deux chats sont arrivés en même temps au moment où elle les sortait de la broche : elle a voulu chasser l'un des

deux chats qui s'approchait de trop près et pendant ce temps-
30 là l'autre coquin en a pris une ; elle s'est retournée vers lui, et pendant ce temps-là le premier... bref, chacun a emporté la sienne... Elle n'a pas été très maligne, c'est vrai, elle sera obligée de le reconnaître, mais en tout cas, oui, de cette façon, c'est plausible[1]. Elle s'en va de nouveau au milieu de la rue pour
35 guetter Gombault[2]. Toujours personne ! Sa langue frétille[3] déjà toute seule dans sa bouche à l'idée de la seconde perdrix encore toute chaude : vraiment elle deviendra enragée si elle ne la mange pas tout de suite. D'abord la bonne petite peau du cou, avec délices. Elle s'en pourlèche les doigts. Oui, mais mainte-
40 nant ? « Je ne peux plus laisser le reste, se dit-elle. Il faut nécessairement que je mange tout. D'ailleurs, j'en ai trop envie ! »

Vous l'avez deviné, bientôt il ne reste plus un seul bout de chair des deux petites bêtes. Elle nettoie bien tout.

Le paysan revient enfin. Il n'a pas encore ouvert la porte
45 qu'il crie déjà :

« Alors, ma douce, elles sont cuites ?

– Hélas, oui, elles l'étaient, mais les chats les ont mangées. Je n'ai pas pu...

– Comment ?... »

50 Le mari se jette sur sa femme comme un enragé. Il est tellement furieux qu'il va la battre de toutes ses forces. Elle l'arrête :

« C'était pour rire, voyons ! Arrière, grand diable. Je les ai couvertes pour les tenir au chaud, c'est bien moins bon quand c'est tiède.

55 – Ah ! ça vaut mieux ! Par saint Lazare, je t'en aurais chanté de belles si tu m'avais fait ça !... On va mettre la nappe blanche sous la treille[4] puisqu'il fait beau. Sors mon hanap de bois[5].

1. Vraisemblable, qu'on peut croire.
2. Son mari.
3. S'agite en tous sens.
4. Vigne en berceau, soutenue par un treillage.
5. Gobelet en métal précieux. Ici, en bois : le vilain imite le seigneur.

– Je vais le sortir. Toi, va aiguiser ton couteau, il en a besoin.
– C'est vrai, je le fais tout de suite. »

60 Le paysan ôte sa vareuse et va à la meule, son couteau tout nu à la main… Mais voici le curé cette fois, gai comme un pinson. Il commence une belle phrase pour saluer la dame, mais elle ne le laisse pas finir.

« Partez, Messire, fuyez. Mon mari veut se venger de vous. 65 Il aiguise son couteau, il veut vous couper les oreilles.

– Qu'est-ce que vous me racontez là ? Il m'a dit qu'il avait pris deux perdrix ce matin et que nous allions les manger ensemble.

– Et vous l'avez cru ?… Par saint Martin, vous voyez des 70 perdrix ici ? Est-ce que c'est le temps de la chasse ?… Regardez-le là-bas à sa meule.

– C'est vrai, par Dieu ! Par mon chapeau[6], je crois bien que c'est vrai ! »

Le curé ne s'attarde pas. Son paroissien est un homme jaloux 75 et violent, il le sait. Il part même à la course, et la femme appelle son mari :

« Eh, Messire Gombault[7].
– Attends un peu. Je n'ai pas fini d'aiguiser.
– Viens tout de suite.
80 – Qu'est-ce qu'il y a ? Qu'est-ce que tu as ?
– Ce que j'ai, moi, tu le sauras toujours assez tôt… Mais tes perdrix, si tu les veux, tu as intérêt à courir. Ton beau curé se sauve avec, par la foi que je te dois ! Regarde.
– Avec mes perdrix ! »

85 Le paysan se jette sur la route comme un enragé, son couteau tout nu à la main. Il court tant qu'il peut. Il crie au curé de loin dès qu'il l'aperçoit :

6. Le curé vient de jurer par Dieu, ce qui est mal. Alors il rectifie et jure par son chapeau.

7. Les femmes, même les paysannes, appellent couramment leur mari « messire ».

« Vous ne les emporterez pas au paradis, celles-là ! Vous ne les mangerez pas tout seul, mauvais homme. Rendez les 90 bêtes. »

Le curé n'entend pas ce qu'il dit mais il se retourne et il voit Gombault furieux avec son couteau à la main. La course l'avait un peu essoufflé mais il a des ailes maintenant. Il court de plus en plus vite... le vilain aussi, toujours criant. Le curé 95 perd du terrain peu à peu à cause de sa soutane, mais heureusement il a de l'avance. Il arrive au presbytère et il a le temps de s'y enfermer, solidement, vous pouvez croire. L'autre se cogne à la grille.

Le paysan s'en retourne tout penaud[8] ; il a le temps main- 100 tenant d'interroger sa femme :

« Explique-moi ce qui s'est passé.

– Eh bien, c'est ce que je t'ai dit. Le curé est venu puisque tu avais eu la sottise de l'inviter. Tu sais comme il est !... Oh, il ne s'est guère occupé de moi. Il a voulu voir les perdrix 105 tout de suite. Je ne pouvais tout de même pas dire non puisque tu l'avais invité pour ça. Dès qu'il les a vues, avant que j'aie pu faire un geste, il les a prises d'un coup et il s'est sauvé avec. Elles n'étaient plus assez chaudes pour qu'elles le brûlent. Tu étais resté longtemps, tu sais. Qu'est-ce que tu faisais ?... 110 Je t'ai appelé tout de suite.

– C'est peut-être vrai », dit le paysan.

Cette aventure, Messires, vous le montre une fois de plus : la femme est faite pour tromper. Avec elle le mensonge devient vérité, la vérité devient mensonge. Pas besoin de commenter 115 beaucoup, j'ai fini l'histoire des perdrix.

8. Honteux, déçu.

Questions

Repérer et analyser

Le narrateur

1 **a.** Relevez les passages dans lesquels le narrateur s'adresse au destinataire.
b. Par quel nom désigne-t-il les destinataires ?

Le cadre

Les fabliaux dépeignent en quelques traits la vie quotidienne au Moyen Âge.

2 Relevez les éléments qui constituent le cadre de la scène (extérieur et intérieur).
3 Est-ce la saison de la chasse ? Reportez-vous aux lignes 64 à 73.

La progression du récit

4 Quelle est la situation initiale ? Quel est l'élément qui déclenche l'action ?
5 En vous appuyant sur le texte, repérez les étapes successives par lesquelles passe la femme pour manger les deux perdrix.
6 L'auditeur (ou le lecteur) comprend-il du premier coup pourquoi la femme demande à son mari d'aiguiser le couteau ? À quel moment le comprend-il ? Citez le texte.
7 Dans les lignes 91 à 98, relevez les termes qui expriment la rapidité et l'accélération de la poursuite.
8 Quel est le dénouement ? Comparez le début et la fin du fabliau. Quel personnage a le dessus ?

Les personnages

Les personnages masculins

9 **a.** Relevez les mots et expressions qui caractérisent le paysan. Comment qualifiez-vous son comportement ?
b. Est-il complètement dupe de sa femme ? Justifiez votre réponse.
10 Trouvez deux adjectifs qui pourraient qualifier le curé. Appuyez-vous sur son comportement.

Les personnages féminins

Les fabliaux malmènent souvent les femmes : ils les présentent comme gourmandes et rusées.

11 **a.** Dans les lignes 10 à 41, relevez les mots et expressions qui mettent en valeur la gourmandise de la femme.
b. Quelle différence y a-t-il entre « pourlèche » (l. 39) et « lèche » ?
12 Relevez les excuses qu'elle se donne pour manger les perdrix. Citez le texte.
13 Quelle ruse utilise-t-elle pour se tirer d'affaire ? Par quels mots réussit-elle à convaincre le curé de fuir ?
14 Quel quiproquo la femme arrive-t-elle à créer entre le curé et son mari ?
15 Quelle est la conclusion du narrateur concernant les femmes ?

La visée du fabliau

16 Quelle est la visée du fabliau ? Appuyez-vous sur l'ensemble de vos réponses.

S'exprimer

17 Faites en quelques lignes la description d'un plat si appétissant qu'il fait venir l'eau à la bouche.
18 Vous avez dû vous tirer seul d'un mauvais pas par la ruse car vous n'étiez pas en mesure d'employer la force. Racontez.
19 Représentez, par une série de dessins humoristiques, la poursuite du curé par Gombault. N'oubliez pas de rajouter les légendes et les bulles !

Texte 11

Les trois bossus

Durand de Douai

Écoutez-moi, Messires. Sans en oublier un seul mot, je vais vous conter une singulière[1] aventure.

Il y avait jadis dans une ville – j'ai oublié son nom… disons la ville de Douai – il y avait donc à Douai un bourgeois. Un bel homme, ma foi, toujours prêt à accueillir ses amis, mais guère fortuné. Pourtant s'il avait dû emprunter de l'argent, tout le monde lui aurait fait crédit. Ce bourgeois avait une fille… belle, belle. Non, jamais Nature n'avait façonné si belle créature. Je ne m'attarderai pas à faire son portrait, je n'y parviendrais pas. Dans un cas pareil, mieux vaut se taire.

Dans la même ville vivait un bossu. On n'avait jamais vu bossu plus laid. Une tête énorme, une vraie hure, pas de cou, de grosses épaules remontées. Vraiment Nature l'avait bien traité ! Pas question de détailler davantage son portrait, il était trop laid. Mais riche immensément : c'était l'homme le plus riche de la ville à ce qu'on disait. Aussi ses amis s'étaient-ils arrangés pour qu'il épousât la fille du bourgeois, celle qui était si belle.

Les voilà mariés, le voilà fou d'inquiétude. Sa femme est trop belle, il est jaloux, il ne connaît plus une minute de repos. Devant sa porte close, assis sur le seuil, il ne permet à personne d'entrer, si ce n'est pour apporter de l'argent ou en emprunter.

Arrive le jour de Noël. Devant lui passent trois ménestrels[2], bossus tous les trois.

1. Extraordinaire, étonnante.
2. Musiciens et chanteurs ambulants.

« Ah Messire, s'écrient-ils, nous allons célébrer Noël en votre compagnie. Est-ce que vous n'appartenez pas à la même confrérie[3] que nous, celle des bossus ?

– C'est juste », répond notre homme, et il les conduit à
30 l'étage, car il habite une maison à escalier[4].

Le repas est prêt, ils se mettent à table. Le maître de maison ne lésine[5] pas, il reçoit bien ses compagnons, les régale de pois au lard et de chapons[6]. Après dîner, il donne encore à chacun d'eux 20 sous parisis[7]. Puis il les renvoie, en leur intimant
35 l'ordre de ne jamais revenir ni dans sa maison, ni dans son jardin : s'ils le font, ils prendront aussitôt un bon bain d'eau glacée dans la rivière qui coule au pied des murs. La rivière est large et profonde à cet endroit. Les bossus s'en vont bien vite, mais ils gardent une mine réjouie : ils n'ont pas perdu
40 leur journée ! Quant au maître de maison, il va se promener sur le pont.

Or la dame a entendu les bossus chanter et s'amuser. Elle fait rappeler les trois ménestrels. Elle veut à nouveau entendre leurs chants. Pour les écouter, elle ferme soigneusement les
45 portes.

Pendant qu'ils chantent et se divertissent avec elle, voici que revient le seigneur et maître. Il n'a pas été longtemps absent ! Il est devant la porte, il appelle, il crie. La dame reconnaît sa voix. Que faire des bossus ? Où les cacher ?

50 Près du foyer se trouve un châlit[8] sur lequel on a posé trois coffres. Dans chacun d'eux, elle loge un bossu. Le mari entre et s'assied à côté d'elle, tout joyeux d'être en la compagnie de sa femme. Mais il ne s'attarde guère. Il redescend et s'éloigne.

3. Association de gens ayant le même métier. L'emploi de ce terme est ironique.
4. Dans les villes, les maisons sont souvent étroites et hautes.
5. Calcule avec avarice.
6. Jeunes coqs que l'on a engraissés.
7. À peu près 240 deniers. Le parisis est la monnaie du roi, frappée à Paris.
8. Cadre de lit en bois.

La dame n'est pas fâchée de le voir partir. Elle va pouvoir délivrer les bossus. Mais quand elle ouvre les coffres, elle trouve les hommes sans vie. Morts ! ils sont morts étouffés ! Affolée, elle va à la porte, elle aperçoit un portefaix[9], elle l'appelle. Le garçon accourt.

« Ami, dit-elle, écoute-moi. Si tu me jures de ne jamais révéler ce que je vais te demander, tu auras forte récompense. Trente livres de bons deniers[10], quand tu auras exécuté la besogne. »

Le portefaix donne sa parole : il aime l'argent, il n'a peur de rien. Il monte l'escalier quatre à quatre. Alors la dame ouvre un des coffres.

« Ami, garde ton sang-froid. Va me jeter ce mort à l'eau, tu me rendras un fier service. »

Elle lui donne un sac, il le prend, y met le cadavre, le hisse sur son épaule, descend l'escalier, court à la rivière, droit sur le pont et vlan ! jette le bossu à l'eau et sans attendre davantage, retourne à la maison.

Pendant ce temps, à grande difficulté, à grand-peine, croyant à chaque instant perdre le souffle, la dame a soulevé le corps du deuxième bossu et l'a tiré hors du coffre. Elle se tient un peu à l'écart. C'est alors qu'entre en coup de vent le portefaix.

« Dame ! Payez-moi ! Je vous ai délivrée du nain.

– Pourquoi vous moquer de moi, fou de vilain ? Il est revenu, votre nain. Vous ne l'avez jamais jeté à l'eau, vous l'avez ramené avec vous. Regardez, si vous ne me croyez pas.

– Comment ! Mille diables ! Comment est-il revenu ici ? C'est incroyable ! Il avait pourtant l'air bien mort… C'est un démon, ma parole. Mais attendez… Par saint Rémi[11], il ne l'emportera pas en Paradis ! »

9. Homme dont le métier est de porter des fardeaux.
10. Trente livres font 7 200 deniers. Il s'agit d'une somme importante.
11. Selon la légende, le corps de saint Rémi aurait été déplacé trois fois miraculeusement. Il s'agit d'une allusion comique.

Il saisit le second bossu, le tasse dans le sac, crac ! le charge
85 sur l'épaule, hop ! comme il eût fait d'une plume, et se dépêche
de sortir de la maison.

Vite, la dame tire du coffre le troisième bossu, l'allonge
devant le feu, puis va se poster près de la porte.

Le portefaix lance son homme dans la rivière, la tête la
90 première.

« Va, maudit, et ne reviens pas ! »

Ensuite il retourne au pas de course demander son dû à la
dame. Elle ne discute pas, l'assure au contraire qu'il sera payé
comme il faut et, mine de rien, le mène près du foyer où gît le
95 troisième bossu.

« Ah ! mon Dieu, s'écrie-t-elle, c'est un prodige ! A-t-on
jamais vu quelque chose de pareil ? Regardez ! Le bossu est
revenu ! »

Le garçon n'a aucune envie de plaisanter en voyant le cadavre
100 devant le feu.

« Sacrebleu ! dit-il. En voilà un ménestrel... Je ne ferai donc
rien d'autre aujourd'hui que de transporter cet affreux bossu ?
Je le retrouve ici chaque fois que je viens de le jeter à l'eau ! »

Il le pousse dans le sac qu'il jette brutalement sur son épaule.
105 De fatigue et de rage, il est en nage. Il dévale l'escalier comme
un furieux et balance le troisième bossu dans l'eau.

« Va-t'en, dit-il, à tous les diables ! Je t'ai assez porté aujou-
d'hui. Si je te vois revenir, tu n'auras pas le temps de te repentir !
Je crois que tu m'as jeté un sort, mais par le Dieu qui m'a fait
110 naître, si tu me poursuis encore et que j'aie gourdin[12] ou épieu,
je t'en donnerai sur la tête et tu seras coiffé de sang ! »

Là-dessus il fait demi-tour et regagne la maison. Avant de
monter les marches, il jette un coup d'œil derrière lui. Et que

12. Gros bâton épais, servant à frapper.
L'épieu est plus long et terminé par une pointe en fer.

voit-il ? Le mari qui rentre au logis ! Devant cette apparition, non, il n'a pas envie de rire. Il fait trois fois le signe de croix, « Nomini[13] ! Seigneur, à l'aide... » Il croit être devenu fou.

« Ma foi, s'écrie-t-il, il est enragé, celui-là. Il me poursuit, il va me rattraper... Par la targe[14] de saint Morand, il me prend pour un paysan ! Je ne l'ai pas plus tôt transporté quelque part qu'il revient sur mes talons ! »

Alors il saisit à deux mains le pilon[15] qui est pendu près de la porte, court au pied de l'escalier que l'autre s'apprête à monter.

« Vous revoilà, sire bossu ! Vous êtes bien têtu ! Par la Vierge, il vous en cuira d'être ici encore une fois. Est-ce que vous me prenez pour un demeuré ? »

Il lève le pilon et lui donne sur la tête – sa grosse tête, vous vous souvenez ? – un coup, un coup formidable, qui fait jaillir la cervelle et étend le bossu mort sur les marches. Puis il le fourre dans un sac qu'il ficelle soigneusement – on ne sait jamais, que le mort le poursuive encore – et s'en va le jeter à la rivière.

« Va au fond et malheur à toi ! Maintenant je suis sûr que tu ne reviendras pas avant que les bois ne soient couverts de feuilles ! »

Il retourne alors près de la dame et lui réclame son salaire : n'a-t-il pas scrupuleusement exécuté ses ordres ? La dame ne le conteste pas. Elle lui paie ses trente livres, rubis sur l'ongle[16], sans retrancher un seul denier. Elle le fait de bon cœur, car elle est contente du marché. La voilà débarrassée d'un mari fort laid. Tant que durera sa vie, elle n'aura plus aucun souci.

13. « Au nom (du Père) », invocation à Dieu en latin.
14. Par le bouclier de saint Morand, l'un des protecteurs de la ville.
15. Instrument en bois cylindrique, lourd, servant à broyer des substances (céréales, fruits secs, épices) dans un mortier.
16. Comptant jusqu'au dernier sou.

Non, jamais Dieu ne créa fille qu'on ne puisse avoir pour de l'argent, c'est moi, Durand, qui vous l'affirme en terminant cette histoire. Jamais Dieu ne fit joyaux[17] si beaux qu'on ne puisse se les procurer, avec des deniers. Le bossu épousa la belle jeune fille, parce qu'il était riche. Maudit soit celui qui s'attache trop à l'argent et maudit soit celui qui, le premier, s'en servit !

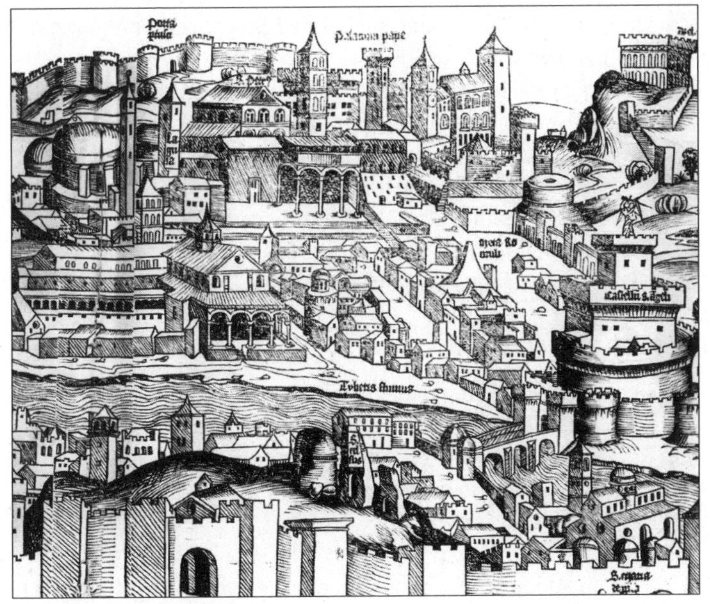

Plan d'une ville au Moyen Âge.

17. Objets ou bijoux en or, argent, pierreries.

Questions

Repérer et analyser

Le narrateur

1 Relevez les commentaires du narrateur. Quel pronom personnel le désigne ? Quel est son nom ?

2 À qui s'adresse-t-il ? Citez le texte.

Le cadre spatio-temporel

3 Quel jour l'action se déroule-t-elle ? Le choix de ce jour est-il important, selon vous ?

4 Dans quelle ville l'action se déroule-t-elle ? Dans quelle partie de la France est-elle située ?

5 Qu'a de particulier la maison du bossu (l. 30) ? Cette particularité joue-t-elle un rôle dans le récit ?

6 **a.** Relevez les adjectifs qui caractérisent l'eau de la rivière.
b. Où est située la maison par rapport à la rivière ? Ces détails ont-ils de l'importance dans le récit ?

La progression du récit

7 Résumez la situation initiale (l. 3 à 23).

8 Quel est l'élément modificateur ?

9 Replacez dans l'ordre les différentes péripéties :
a. La femme dispose le deuxième cadavre et le portefaix l'emporte.
b. Le mari reçoit trois bossus.
c. Le portefaix tue le mari.
d. La femme découvre que tous les bossus sont morts et appelle le portefaix.
e. Le portefaix emporte le premier cadavre.
f. La femme rappelle les bossus pour les écouter chanter.
g. La femme dispose le troisième cadavre et le portefaix l'emporte.

10 Quels sont les deux coups de théâtre qui interviennent dans ce récit ?

11 **a.** Quel est le dénouement ?
b. Quelle est la situation finale ?

12 Comparez le début et la fin du fabliau. Y a-t-il eu évolution en ce qui concerne la situation des personnages ?

Les personnages

13 Pour quelle raison le narrateur ne fait-il pas un portrait détaillé de la femme et du bossu ?

Le mari

14 **a.** Trouvez dans les lignes 11 à 16 deux adjectifs qui caractérisent le mari bossu.
b. Pourquoi est-il « fou d'inquiétude » après son mariage ?
c. Quelles personnes ont le droit de franchir le seuil de sa maison ? Qu'en déduisez-vous sur son caractère ?

La femme

15 **a.** Pourquoi la femme ne montre-t-elle qu'un seul cadavre au portefaix quand il accourt près d'elle ?
b. Quel procédé utilise-t-elle pour que le portefaix emporte successivement les trois cadavres ? Qu'essaie-t-elle ainsi de lui faire croire ?
c. Quels adjectifs pourraient qualifier la femme ?

Le portefaix

16 Concernant les bossus, de quoi le portefaix est-il persuadé ? Qualifiez le personnage d'un ou deux adjectifs.

Le comique

La caricature

La caricature est une déformation grotesque et exagérée de certains traits physiques d'un personnage, en vue de le ridiculiser. Dans ce texte, le portrait du bossu est une caricature.

17 **a.** Dans les lignes 11 à 16, relevez une phrase non verbale qui présente les principaux traits du personnage.
b. Que signifie le mot « hure » (l. 12) ? Quel est l'effet produit par l'emploi de ce mot ?

Le comique macabre

Le comique macabre est un comique qui se joue de la mort.

18 Pourquoi peut-on dire à propos de ce fabliau qu'il s'agit de comique macabre ?
19 Les bossus suscitent-ils la pitié ? Justifiez votre réponse.

Le comique de répétition

Des mots ou des situations qui se répètent peuvent provoquer le rire.

20 Montrez en citant le texte que le comique de ce fabliau repose en partie sur la répétition.

La visée du fabliau

21 Quelle visée le narrateur tire-t-il de cette histoire ?

S'exprimer

22 Faites en quelques lignes le portrait caricatural d'un personnage. Comme dans ce fabliau, vous utiliserez une phrase non verbale.
23 Récrivez le fabliau à partir de la ligne 49 : « Que faire des bossus ? Où les cacher ? » N'oubliez pas que l'aventure doit être « singulière » (l. 2).

Enquêter

Une ville au Moyen Âge

24 Recherchez dans votre livre d'histoire des plans et des illustrations de villes du Moyen Âge (aidez-vous également de l'illustration, p. 81). Faites un exposé dans lequel vous présenterez une ville de cette époque avec ses fortifications, ses rues, ses boutiques, ses églises et ses habitants.

Se documenter

Durand de Douai

L'auteur de ce fabliau se nomme Durand de Douai. Ce fabliau est la seule de ses œuvres qui nous soit parvenue. Il connaît bien la ville de Douai, car il évoque la rivière qui la traverse, la Scarpe, et les reliques de saint Morand, un des saints protecteurs de la ville. On ne sait rien d'autre de lui.

Les infirmes au Moyen Âge

« Les infirmités et les disgrâces sont, au XIIIe siècle, considérées comme la manifestation physique de tares[1] morales. Les bossus n'échappent pas à la règle : ils sont des suppôts[2] de Satan. Aussi n'éprouvait-on pour eux aucune pitié, surtout lorsqu'ils se révélaient cupides[3] et jaloux. La belle jeune femme achetée en mariage est donc par avance excusée à cause de sa beauté, symbole de pureté et de vertu. D'ailleurs, elle n'a pas prémédité son acte et encore moins le meurtre de son mari, qui apparaît comme une justice du sort. »

Jean-Claude Aubailly, Fabliaux et Contes du Moyen Âge, Librairie générale française, Livre de poche, 1987.

1. Graves défauts. | 2. Serviteurs. | 3. Très intéressés, avares.

Texte 12

La housse partie[1]

Bernier

Un bourgeois d'Abbeville[2] avait quitté son pays en guerre pour gagner Paris, avec sa femme et son fils. C'était un marchand riche, sage et courtois, et ses voisins avaient pour lui la plus grande estime.

5 Le prud'homme[3] vécut ainsi pendant sept ans, se consacrant à son commerce. La vie lui souriait, sa fortune augmentait, et puis Dieu lui enleva sa femme, sa compagne depuis trente ans.

Comme son fils pleurait la perte de sa mère, il entreprit de le consoler :

10 « Beau fils, ta mère est morte, Dieu ait son âme. Tu sais que c'est le sort commun. Mort emporte chacun de nous, tôt ou tard. Songe plutôt aux raisons que tu as de te réconforter. Te voilà beau bachelier[4], en âge de te marier. Je suis vieux, tes amis sont loin, tu ne pourrais faire appel à eux en cas de besoin. 15 Aussi si je trouvais pour toi une femme de noble lignage[5], ayant de nombreux parents, je ne regarderais pas à l'argent. »

Or sachez, Messeigneurs, qu'il y avait alors à Paris trois frères, trois chevaliers de haute noblesse. Pour pouvoir suivre les tournois et faire parler de leurs exploits, ils avaient engagé 20 leurs terres, en empruntant aux usuriers[6]. Le frère aîné était veuf. Avant de mourir, sa femme avait légué à leur fille une bonne maison, qui se trouvait dans la rue même où habitait notre bourgeois, juste en face de son hôtel[7]. Le père de la jeune fille n'avait pas pu la mettre en gage : elle ne lui appartenait

1. La couverture partagée. On a conservé le titre original du fabliau.
2. Ville du nord de la France.
3. Homme sage, honnête, bien considéré.
4. Jeune homme.
5. Famille, race.
6. Personnes qui prêtent de l'argent avec des intérêts exagérés.
7. Belle demeure d'un homme riche.

pas. Aussi rapportait-elle par an vingt livres parisis. La demoiselle vivait bien, entourée de nombreux amis.

Le prud'homme décida de la demander en mariage pour son fils.

« Quels sont vos biens ? lui dirent les chevaliers.

– Tant en marchandises qu'en deniers, j'ai environ 1 500 livres, honnêtement gagnées. J'en donnerai la moitié à mon fils.

– La moitié ! Impossible… Non, Messire, mille fois non.

– Eh bien, qu'exigez-vous de moi ? Dites-le.

– Beau sire, volontiers. Nous voudrions que vous donniez à votre fils la totalité de vos biens, qu'il en ait la propriété pleine et entière et que nul ne vienne jamais lui réclamer quoi que ce soit. À cette condition, le mariage se fera. Sinon adieu la demoiselle ! »

Le prud'homme réfléchit un instant. Ce fut là un instant bien mal employé ! Car il répondit aux chevaliers qu'il acceptait leur proposition. Il déclara devant témoins qu'il donnerait sa fortune à son fils et ne garderait rien pour lui. Le voilà donc sans sou ni maille[8], aussi nu qu'un rameau l'hiver, n'ayant pas même de quoi prendre un repas sans le mendier à son fils !

Quand il a entendu ces paroles, le chevalier a pris sa fille par la main et l'a donnée au jeune homme.

Ils ont vécu ensemble en paix. Au bout de deux ans, la dame a eu un fils. Elle est particulièrement bien soignée, elle peut prendre autant de bains qu'elle veut, et, pour ses relevailles[9], le curé vient la bénir. Elle élève bien son enfant.

Douze ans s'écoulent. L'enfant a grandi. Il a l'esprit vif, il écoute, il observe. Il sait que son grand-père s'est dépouillé pour permettre à son père d'épouser une demoiselle de noble naissance.

8. La maille vaut un demi-denier. Sans argent.

9. Moment où la femme qui vient d'accoucher se lève et reprend sa vie habituelle.

Le prud'homme est bien vieux. Il n'a plus de forces. Il marche en s'appuyant sur un bâton. Son fils le regarde et songe qu'il est devenu pour autrui un véritable fardeau. Pourquoi tarde-t-il tant à entrer dans la tombe ? Sa belle-fille, qui est dure et
60 orgueilleuse, n'a pour lui qu'aversion[10] et mépris. Un beau jour, elle ne peut plus se contenir : « Sire, dit-elle à son mari, de grâce, renvoyez votre père. Je ne mangerai plus tant qu'il restera ici. Vous m'entendez ? Renvoyez-le.

– Dame, à votre volonté », répond-il.

65 Il a peur de sa femme. Aussitôt, il va trouver le vieillard.

« Père, père, allez-vous-en. On n'a nul besoin de vous ici. Pendant douze ans et plus, dans cet hôtel, on vous a hébergé et nourri. Il est temps pour vous de chercher votre vie ailleurs. Allez ! Sus ! Debout ! Pas moyen de faire autrement. »

70 À ces mots, le père pleure amèrement, maudit le jour de sa naissance et se plaint d'avoir trop vécu.

« Beau doux fils, que me dis-tu… Au moins permets-moi de vivre à ta porte. Je ne prendrai guère de place. Je ne demande ni feu, ni courtepointe[11], ni tapis, mais laisse-moi m'étendre
75 sous cet appentis[12] et qu'on m'y jette de la paille. Si je mange un peu de ton pain, ne me chasse pas pour autant. Ou alors mets-moi dans la cour et donne-moi de quoi manger… Pour le peu qu'il me reste à vivre, tu ne devrais pas m'abandonner. En t'occupant de moi, tu expierais tes péchés bien mieux qu'en
80 faisant pénitence…

– Beau père, vos paroles sont inutiles. Tôt[13] ! Allez-vous-en ou ma femme deviendra folle.

– Beau fils, où veux-tu que j'aille ? Je n'ai pas un sou vaillant.

– Allez à la ville. Chacun y court sa chance, courez la vôtre.
85 Vous rencontrerez sans doute des gens de connaissance qui vous hébergeront dans leur hôtel.

10. Répugnance, violente antipathie.
11. Couverture ouatée.
12. Sorte de petit hangar adossé à un mur.
13. Vite !

– Leur hôtel !… Alors que tu me renvoies du tien ! Pourquoi veux-tu que des gens, qui ne me sont rien, me traitent mieux que mon propre fils ?

90 – Père, je n'y peux rien. Si j'agis ainsi envers vous, ce n'est pas forcément de mon plein gré… »

Le vieil homme souffre. Son chagrin lui crève le cœur, il s'en va en pleurant.

« Fils, dit-il encore, je te recommande à Dieu. Mais au moins, 95 avant que je m'en aille, donne-moi un morceau de tissu, qui n'ait pas grande valeur. Ça m'aidera à supporter le froid. Ma robe est si mince et, plus que tout, le froid me tue.

– Je n'en ai pas, répond le fils, bien décidé à ne rien donner. Je n'ai aucun bien à vous offrir, à moins qu'on ne vienne me 100 le voler.

– Beau doux fils, tout le corps me tremble. J'ai tellement peur du froid. Au moins donne-moi une des couvertures que tu mets sur ton cheval. Cela m'empêchera de prendre mal. »

Le jeune homme se rend compte qu'il ne parviendra pas à 105 se débarrasser du vieillard sans lui donner quelque chose. Il appelle son fils qui accourt.

« Que voulez-vous, sire ?

– Beau fils, si tu vois l'écurie ouverte, prends pour mon père la meilleure des couvertures qui se trouvent sur le cheval noir. 110 Elle lui servira de manteau.

– Beau grand-père, dit l'enfant, suivez-moi. »

Le prud'homme le suit en se lamentant. Le jeune garçon prend la couverture en meilleur état, la moins vieille, la plus grande. Il la plie et avec son couteau la coupe en deux du mieux 115 qu'il peut. Puis il en donne au vieillard une moitié.

« Beau fils, que veux-tu que j'en fasse ? Pourquoi l'as-tu coupée ? C'est vraie cruauté de ta part. Ton père me l'avait donnée tout entière. Je vais aller le lui dire.

– Allez où vous voudrez. Mais c'est tout ce que vous aurez. »

120 Le prud'homme sort de l'écurie et retourne trouver son fils.

« On se moque de tes ordres, on se moque de toi, lui dit-il. Tu devrais punir ton fils. Il ne te craint pas ! Il garde pour lui la moitié de la couverture.

– Fils, que Dieu te maudisse ! Vas-tu donner la couverture 125 entière à ton grand-père ?

– Je n'en ferai rien, assurément, répond l'enfant. Que me resterait-il pour vous, mon père ? Je vous en mets la moitié de côté. C'est ce que vous aurez de moi plus tard. Au moment voulu, je partagerai avec vous comme vous partagez avec lui. 130 Il vous a laissé tous ses biens, moi aussi, je prendrai les vôtres. Et vous n'emporterez avec vous rien de plus que ce qu'il emporte aujourd'hui. Si vous le laissez mourir de misère, j'en ferai autant, si je suis encore en vie. »

Le père a compris la leçon. Il soupire, il rentre en lui-même. 135 Il se tourne vers le vieillard.

« Père, dit-il, demeurez ici. C'est le diable qui m'a poussé. Vous serez désormais le maître de mon hôtel. Si ma femme y trouve à redire, je vous logerai ailleurs. Je vous y ferai bien soigner et vous aurez courtepointe et oreillers. Par saint 140 Martin ! Je ne mangerai pas de bon morceau ni ne boirai de bon vin sans que vous en fassiez autant. Vous serez dans une chambre particulière, avec un bon feu dans la cheminée, et vous porterez des robes[14] aussi belles que les miennes. Car c'est de vous que je tiens tous mes biens, beau doux père ! »

145 Cette histoire prouve qu'un fils peut chasser les mauvais sentiments du cœur de son père. Elle montre aussi qu'un homme ne doit jamais se dépouiller en faveur de ses enfants : les enfants sont sans pitié. Imiter la conduite du prud'homme, c'est folie plutôt que sagesse. Se mettre à la merci d'autrui, 150 c'est attirer le malheur. Voilà ce que Bernier vous dit, en guise de conclusion.

14. Au Moyen Âge, vêtements masculins aussi bien que féminins.

Repérer et analyser

Le narrateur

1 Relevez les commentaires du narrateur. Quel est son nom ? À qui s'adresse-t-il ?

Le cadre spatio-temporel

2 **a.** Dans quelle ville l'action se déroule-telle ? Dans quel lieu précis ?
b. Relevez des détails sur les demeures des riches bourgeois au Moyen Âge et sur la vie qu'on y mène.
3 **a.** Relevez les indications temporelles.
b. Combien de temps s'écoule-t-il entre le départ d'Abbeville du prud'homme et la mort de sa femme ? entre le mariage de son fils et son renvoi ?

La progression du récit

4 Quelle est la situation initiale ? Quel événement modifie cette situation ?
5 Quelles actions s'enchaînent alors (à partir de la ligne 17) ?
6 Quel est le dénouement ? Quelle est la situation finale ?

Les personnages

Le prud'homme
7 **a.** À quelle classe sociale le prud'homme appartient-t-il ? Quel est son métier ?
b. « C'était un marchand riche, sage et courtois » (l. 2-3) : dans les lignes 1 à 45, relevez les détails qui dénotent la richesse du marchand. Quel passage montre sa sagesse ?
c. De quelle qualité fait-il preuve lorsqu'il cède la totalité de ses biens à son fils ?
d. Relevez les phrases qui montrent sa dégradation physique à partir de la ligne 56.

La belle-fille

8 **a.** À quelle classe sociale la demoiselle appartient-elle ?
b. De quelle fortune dispose-t-elle ? Combien sa maison lui rapporte-t-elle par an ? Comparez cette somme avec la fortune du prud'homme.
c. Quels adjectifs qualifient la belle-fille (l. 56 à 60) ?

Le fils

9 Qualifiez son comportement vis-à-vis de sa femme, et de son père.

L'enfant

10 **a.** Quel âge a-t-il quand son grand-père est chassé ?
b. Quelle expression le caractérise (l. 52-53) ?
c. Que sait-il du passé de son père et de son grand-père ? Citez le texte.

L'argumentation

11 Qu'est-ce que le vieil homme redoute le plus : la faim, le froid, l'errance ? Justifiez votre réponse.
12 **a.** Que demande-t-il successivement à son fils ?
b. Quels arguments invoque-t-il à chaque fois ?
c. Quels sentiments essaie-t-il d'éveiller chez son fils ? Citez le texte.
13 Expliquez la phrase : « En t'occupant de moi, tu expierais tes péchés bien mieux qu'en faisant pénitence » (l. 79-80).
14 Quelle est l'argumentation de l'enfant ? Pourquoi son père y cède-t-il ?

La visée du fabliau

15 **a.** Quelle leçon le narrateur tire-t-il de l'histoire ?
b. Blâme-t-il la conduite du prud'homme (voir l. 40 à 45) ?
c. Ce fabliau vise-t-il à faire rire ? Quelle peut être sa visée ?

S'exprimer

16 Le fils tente de convaincre sa femme qu'il se devait de ne pas renvoyer son père. Imaginez le dialogue. Vous respecterez le niveau de langage des personnages (« Sire », « Dame »…).

Débattre

17 Comment faut-il, à votre avis, dans notre société, traiter les personnes âgées ? Est-il bon qu'elles se trouvent en famille, en contact avec les générations plus jeunes ? Vaut-il mieux qu'elles se retrouvent entre elles dans des maisons spécialisées ?

Se documenter

Difficultés de la noblesse au XIIIe siècle

« Pour la plupart des nobles, en effet, les temps nouveaux sont ceux de la gêne, des difficultés financières. Habitués dès l'enfance à mépriser le gain, ils se sont très rarement préoccupés d'accroître les rendements de leur héritage.
[...] Tandis que leurs revenus s'amenuisent, les besoins en monnaie ne cessent d'augmenter. Il faut maintenant de l'argent pour tout. Pour marier sa fille, [...] pour acheter son salut. [...] En outre, la demeure du chevalier se transforme, elle devient une « maison-forte », avec un fossé, des tours ». [...] Tout cela coûte. Où trouver l'argent quand il faut remplacer le cheval tué à la guerre ou au tournoi ? On emprunte, habitude ancienne. Mais alors qu'au siècle précédent, on pouvait trouver assez facilement chez les cousins, chez le seigneur, les quelques pièces qui manquaient, il faut maintenant, pour des sommes plus importantes, s'adresser à des prêteurs moins conciliants, qui entendent bien tirer de leurs avances un profit sûr.
[...] Ainsi, le patrimoine se défait ; par bribes, puis par plus gros morceaux, il passe aux mains de ceux qui gagnent, les nouveaux riches. »

Georges Duby, Histoire de la civilisation française, Éd. Armand Colin, 1968.

Questions de synthèse

« Les fabliaux »

L'époque

1 À quelle époque furent composés les fabliaux ?

L'effet de réalisme : lieux et personnages

2 Les fabliaux donnent souvent l'impression de reproduire certains aspects de la réalité de l'époque. Répertoriez les lieux qui leur servent de cadre. Sont-ils plus fréquemment situés à la campagne ou à la ville ?

3 Les lieux sont-ils souvent bien définis ? Sont-ils détaillés avec précision ? Justifiez vos réponses.

4 Dans quelle partie de la France les villes citées dans les fabliaux se trouvent-elles ?

5 **a.** Quels différents types de personnages rencontrez-vous dans les fabliaux ? À quelles classes de la société appartiennent-ils ?
b. Par comparaison, à quelle classe les personnages des romans de chevalerie appartiennent-ils ?

L'action

Une action simple

6 Le héros, homme ou femme, faible et souvent pauvre, triomphe d'un être plus puissant que lui grâce à son ingéniosité, à sa malice, à sa naïveté. À quels fabliaux ce schéma s'applique-t-il ?

Une action rapide

7 Choisissez un fabliau et étudiez son mode de narration.
a. Quel est le temps des verbes le plus fréquemment employé dans le discours narratif ? Quel effet est ainsi obtenu ? Pour vous aider, reportez-vous aux questions 13 (p. 12) et 8 (p. 64).
b. Quelle remarque pouvez-vous faire sur la longueur des phrases ?

Les dialogues

8 Quelle est l'importance des dialogues dans le récit ? Est-il difficile de transformer un fabliau en pièce de théâtre ?
Pour vous aider, reportez-vous aux questions 15 (p. 36), 17 (p. 49), 15 et 17 (p. 60).

La société au Moyen Âge

9 Que vous apprennent ces textes sur la vie des paysans ? sur l'aspect des villes ?
10 Étudiez respectivement le rôle joué par l'argent et par la nourriture dans cette société. Donnez des exemples précis.
11 Relevez les traits dénotant l'importance de la religion dans la société de cette époque.
12 Quels fabliaux comportent des éléments merveilleux ?

Un genre littéraire : le fabliau

L'auteur et le narrateur

13 Quels sont les auteurs connus des fabliaux ? Sont-ils nombreux ? Sur lesquels avons-nous le plus de renseignements ?
14 Les interventions du narrateur dans le récit sont-elles fréquentes ? À quel moment sont-elles situées ? Donnez différents exemples.
15 À qui s'adresse le narrateur ? Par quels mots ou expressions désigne-t-il le plus souvent ses destinataires ?
16 À l'origine les fabliaux étaient faits pour être dits plutôt que pour être lus. Relevez des indices de leur oralité, en particulier pages 19, 50, 76.

La visée des fabliaux

17 Sous quelle forme s'exprime la leçon à tirer d'un fabliau ? À quel moment du récit ?

18 Faire rire

Illustrez chacun des procédés comiques par quelques exemples :

a. le comique de situation (les bons tours, les quiproquos…) ;

b. le comique de répétition ;

c. le comique de mots.

19 Faire la satire de la société

a. En vous appuyant sur les questionnaires, relevez les principaux traits satiriques concernant les gens d'Église et les paysans. Quels autres membres de la société sont également visés ?

b. Quelle image les fabliaux donnent-ils des femmes ? Quel rôle jouent-elles le plus souvent ? À quoi voyez-vous que ces récits ont été composés par des hommes ?

Deuxième partie

Histoires à rire

Alphonse Allais

Les zèbres

Alphonse Allais est né à Honfleur en 1854 ; il est mort à Paris en 1905. Après avoir accompli une carrière de journaliste, il fait paraître, à partir de 1891, sous forme de recueils, ses chroniques humoristiques. Il écrit aussi pour la scène des monologues et des comédies. Maître du calembour et du canular, il pousse volontiers la logique jusqu'à l'absurde.

– Ça te ferait-il bien plaisir d'assister à un spectacle vraiment curieux et que tu ne peux pas te vanter d'avoir contemplé souvent, toi qui es du pays ?

Cette proposition m'était faite par mon ami Sapeck, sur 5 la jetée de Honfleur, un après-midi d'été d'il y a quatre ou cinq ans.

Bien entendu, j'acceptai tout de suite.

– Où a lieu cette représentation extraordinaire, demandai-je, et quand ?

10 – Vers quatre ou cinq heures, à Villerville, sur la route.

– Diable ! nous n'avons que le temps !

– Nous l'avons... ma voiture nous attend devant le Cheval-Blanc.

Et nous voilà partis au galop de deux petits chevaux attelés 15 en tandem.

Une heure après, tout Villerville, artistes, touristes, bourgeois, indigènes, averti qu'il allait se passer des choses peu coutumières, s'échelonnait sur la route qui mène de Honfleur à Trouville.

20 Les attentions se surexcitaient au plus haut point. Sapeck, vivement sollicité, se renfermait dans un mystérieux mutisme[1].

1. Questionné, Sapeck se tait.

– Tenez, s'écria-t-il tout à coup, en voilà un !

Un quoi ? Tous les regards se dirigèrent, anxieux, vers le nuage de poussière que désignait le doigt fatidique[2] de Sapeck, et l'on vit apparaître un tilbury[3] monté par un monsieur et une dame, lequel tilbury traîné par un zèbre.

Un beau zèbre bien découplé[4], de haute taille, se rapprochant, par ses formes, plus du cheval que du mulet.

Le monsieur et la dame du tilbury semblèrent peu flattés de l'attention dont ils étaient l'objet. L'homme murmura des paroles, probablement désobligeantes, à l'égard de la population.

– En voilà un autre ! reprit Sapeck.

C'était en effet un autre zèbre, attelé à une carriole où s'entassait une petite famille.

Moins élégant de formes que le premier, le second zèbre faisait pourtant honneur à la réputation de rapidité qui honore ses congénères.

Les gens de la carriole eurent vis-à-vis des curieux une tenue presque insolente.

– On voit bien que c'est des Parisiens, s'écria une jeune campagnarde, ça n'a jamais rien vu !

– Encore un ! clama Sapeck.

Et les zèbres succédèrent aux zèbres, tous différents d'allure et de forme.

Il y en avait de grands comme de grands chevaux, et d'autres, petits comme de petits ânes.

La caravane comptait même un curé, grimpé dans une petite voiture verte et traîné par un tout joli petit zèbre qui galopait comme un fou.

Notre attitude fit lever les épaules au digne prêtre, onctueusement[5]. Sa gouvernante nous appela *tas de voyous*.

2. Qui exprime une intervention du destin, de la fatalité.
3. Voiture à cheval pour deux personnes.
4. Bien bâti.
5. Avec une douceur forcée.

Et puis, à la fin, la route reprit sa physionomie ordinaire : les zèbres étaient passés.

55 – Maintenant, dit Sapeck, je vais vous expliquer le phénomène. Les gens que vous venez de voir sont des habitants de Grailly-sur-Toucque, et sont réputés pour leur humeur acariâtre[6]. On cite même, chez eux, des cas de férocité inouïe. Depuis les temps les plus reculés, ils emploient, pour la trac-
60 tion et les travaux des champs, les zèbres dont il vous a été donné de contempler quelques échantillons. Ils se montrent très jaloux de leurs bêtes, et n'ont jamais voulu en vendre une seule aux gens des autres communes. On suppose que Grailly-sur-Toucque est une ancienne colonie africaine, amenée
65 en Normandie par Jules César. Les savants ne sont pas bien d'accord sur ce cas très curieux d'ethnographie.

Le lendemain, j'eus du phénomène une explication moins ethnographique, mais plus plausible[7].

Je rencontrai la bonne mère Toutain, l'hôtesse de la ferme
70 Siméon, où logeait Sapeck.

La mère Toutain était dans tous ses états :

– Ah ! il m'en a fait des histoires, votre ami Sapeck ! Imaginez-vous qu'il est venu hier des gens de la paroisse de Grailly en pèlerinage à Notre-Dame-de-Grâce. Ces gens ont
75 mis leurs chevaux et leurs ânes à notre écurie. M. Sapeck a envoyé tout mon monde[8] lui faire des commissions en ville. Moi, j'étais à mon marché. Pendant ce temps-là, M. Sapeck a été emprunter des pots de peinture aux peintres qui travaillent à la maison de M. Dufay, et il a fait des raies à tous les chevaux
80 et à tous les bourris des gens de Grailly. Quand on s'en est aperçu, la peinture était sèche. Pas moyen de l'enlever ! Ah ! ils en ont fait une vie, les gens de Grailly ! Ils parlent de me faire un procès. Sacré M. Sapeck, va !

6. Désagréable.
7. Vraisemblable.
8. Tous mes domestiques.

Sapeck répara noblement sa faute, le lendemain même.

85 Il recruta une dizaine de ces lascars oisifs[9] et mal tenus, qui sont l'ornement des ports de mer.

Il empila ce joli monde dans un immense char à bancs, avec une provision de brosses, d'étrilles[10] et quelques bidons d'essence.

90 À son de trompe, il pria les habitants de Grailly, détenteurs de zèbres provisoires, d'amener leurs bêtes sur la place de la mairie.

Et les lascars mal tenus se mirent à *dézébrer* ferme.

Quelques heures plus tard, il n'y avait pas plus de zèbres 95 dans l'ancienne colonie africaine que sur ma main.

J'ai voulu raconter cette innocente, véridique et amusante farce du pauvre Sapeck, parce qu'on lui en a mis une quantité sur le dos, d'idiotes et auxquelles il n'a jamais songé.

Et puis, je ne suis pas fâché de détromper les quelques 100 touristes ingénus qui pourraient croire au fourmillement du zèbre sur certains points de la côte normande.

Alphonse Allais, extrait d'*Œuvres anthumes*,
Paris, Éd. Robert Laffont, coll. « Bouquins », 1989.

9. Voyous qui ne travaillent pas. | **10.** Brosses en fer pour nettoyer la robe des chevaux.

Questions

Repérer et analyser

Le narrateur

1 Quel pronom désigne le narrateur ? Joue-t-il un rôle dans l'histoire ?
2 Combien de temps s'est-il écoulé entre le moment où se sont déroulés les faits et le moment où le narrateur les raconte ? Citez le texte.

Le cadre spatio-temporel

3 Où et quand se passent les événements racontés ? Citez le texte.

Les personnages

4 **a.** Quels sont les personnages dont vous connaissez les noms ?
b. Quels sont les autres personnages cités ? Quels sont ceux qui jouent un rôle collectif (l. 16 à 19) ?

La progression du récit

5 Relevez dans les lignes 1 à 15 les adjectifs qualificatifs qui caractérisent l'événement.
6 Citez le passage qui mentionne l'irruption de l'événement. En quoi consiste-t-il ?
7 Le passage des voitures tirées par les zèbres se déroule comme au théâtre (l. 22 à 54) :
a. Qui joue le rôle du public ? du metteur en scène ? des acteurs ?
b. Qu'y a-t-il d'étrange dans le comportement de ces derniers ?
8 **a.** Cherchez la définition du mot « ethnographie » (l. 66) et donnez son étymologie.
b. Quelles explications Sapek donne-t-il de l'événement ? Quel fondement donne-t-il à ses explications ?
c. Quelles explications la mère Toutain en fournit-elle ? Quel niveau de langage utilise-t-elle ? Citez le texte.
9 À quels autres animaux le narrateur a-t-il comparé les zèbres (l. 27-28 ; 46-47) ? Pourquoi, selon vous ?

10 Quand et comment Sapeck répare-t-il sa faute ?
11 Quelle est la situation finale ?

Les procédés comiques

12 Relevez dans les propos et le comportement des personnages des traits appartenant au comique de gestes, de mots, de situation.
13 Comparez l'explication donnée par Sapeck et celle fournie par la mère Toutain. Quel est l'effet produit ?

La visée

14 Quelles sont les deux raisons avancées par le narrateur pour faire le récit de cette farce (l. 96 à 101) ?
15 Quel est le sens du mot « ingénu » (l. 100) ? Pensez-vous qu'il existe des touristes assez ingénus pour croire à la présence des zèbres en Normandie ?
16 Quelle peut être la visée de ce récit ?

Illustration de Marcel Gotlib, extraite de Rubrique-à-brac, Dargaud Éditeur (1970).

Fernand Raynaud

Les croissants

Fernand Raynaud est un acteur et auteur comique, né en 1926, mort en 1975. Il imposa dans ses sketches son personnage de Français moyen, un petit homme gentil et râleur en proie aux mille difficultés de la vie quotidienne.

Dans cette saynète, Fernand Raynaud s'installe à la terrasse d'un café. Un garçon s'approche.

FERNAND. – Garçon, s'il vous plaît ! Je voudrais un café-crème avec deux croissants.

LE GARÇON. – Je m'excuse, monsieur, on n'a plus de croissants.

5 FERNAND. – Ah ! Ben, ça ne fait rien. Vous allez me donner tout simplement un café alors, un petit café, avec deux croissants.

LE GARÇON. – Mais... Je me suis mal exprimé. Je viens de vous dire que nous n'avons plus de croissants. On s'est laissé surprendre, ce matin, et on n'a plus du tout de croissants.

10 FERNAND. – Ah ! Ça change tout, alors là ! Ça change tout ! Tenez, je vais prendre autre chose, alors. Donnez-moi un petit verre de lait. Vous avez du lait ? Eh bien, donnez-moi un verre de lait, alors, avec deux croissants.

LE GARÇON. – Je viens de vous dire que nous n'avions plus 15 de croissants ! Les brioches, oui, mais les croissants, non. C'est terminé les croissants !

FERNAND. – Faut pas vous énerver pour ça ! Mais ça fait rien ! Écoutez, je vous félicite de votre conscience professionnelle... je prendrai autre chose, n'importe quoi. Je suis pas le client 20 embêtant, moi : je prendrai ce que vous voulez, je peux pas mieux vous dire ! Je sais pas, moi, du thé, du chocolat au lait...

Vous avez du thé ? Donnez-moi une petite tasse de thé, alors, avec deux croissants.

Un client interpelle Fernand.

25 LE CLIENT. – Mais dites donc, vous en avez pour longtemps à embêter ce garçon, vous, là ?

FERNAND. – Hein ?

LE CLIENT. – Ça fait dix minutes que je vous observe, depuis le début. Qu'est-ce qui vous prend d'embêter un garçon 30 pendant son travail ?

FERNAND. – Je vous connais pas, vous ! Je suis client, hein ! J'ai bien le droit de commander ce que je veux, moi ! Je m'occupe pas de ce que vous commandez, vous ! Un client il a le droit...

35 LE CLIENT. – Ah ! vous êtes client ! Moi aussi je suis client. Taisez-vous, monsieur. Vous devriez avoir honte d'embêter un garçon pendant son travail. Taisez-vous. *(Se tournant vers le garçon :)* Laissez-moi vous dire que vous avez de la patience. Parce que moi, garçon, si j'avais été à votre place, il y a long-40 temps que j'aurais pris les deux croissants et que je les lui aurais foutus sur la gueule.

Fernand RAYNAUD, extrait de *Heureux !*
Éd. de la Table Ronde, Paris, 1975.

Questions

Repérer et analyser

Le genre du texte et la situation d'énonciation (voir p. 11)

1 À quel genre peut appartenir ce texte ? Justifiez votre réponse.

2 Qui parle à qui ? Où la scène se déroule-t-elle ?

Les personnages

3 Quels sont les différents personnages ? Entretiennent-ils des relations d'égalité ? Justifiez votre réponse.

4 Comparez le temps de parole de chacun d'eux. Qui parle le plus ?

5 Quel prénom l'un des personnages porte-t-il ? Qu'en déduisez-vous sur son rapport avec l'auteur du sketch ?

6 Relisez les répliques du garçon. Constatez-vous une évolution dans son attitude et dans le ton de sa voix à mesure que le dialogue progresse ? Justifiez votre réponse.

Les procédés comiques

7 **a.** Quels mots sont souvent répétés ? Quel est l'effet produit ?
b. En quoi la dernière phrase du sketch est-elle comique ?

8 **a.** À quel niveau de langage les répliques de Fernand et celles de l'autre client appartiennent-elles ?
b. Relevez les principales fautes de syntaxe. Quel est l'effet produit ?

9 Sur quel procédé comique cette scène est-elle fondée ?

La visée

10 Quel défaut caractéristique de la société est mis en valeur ici ?

S'exprimer

11 Imaginez le monologue du garçon après le départ des clients.

12 Imaginez une suite avec intervention des passants, du patron…

Raymond Devos

La leçon du petit motard

Raymond Devos est né en Belgique en 1922. Tour à tour musicien, mime, clown, il se produit sur les scènes de music-hall et de théâtre.

Tout en jouant sur les mots, il pousse jusqu'à l'absurde des situations prises dans la vie quotidienne.

Il y a quelque temps, je prends ma voiture, et voilà que sur la route, je me fais siffler par deux motards... un grand et un petit.

Ils me font signe de me ranger !

5 J'obtempère !

Le plus grand des deux vient vers moi...

Il me dit *(après avoir composé un visage de brute et en hurlant)* :

– Donnez-moi vos papiers !

10 J'ai dit :

– Oui... Oui... Non, mais... D'accord !... Je vais vous... Je vais vous les... *(Pétrifié par la peur, il ne peut plus parler et indique le mouvement de sortir et de montrer ses papiers.)*

Il me dit :

15 – Je vous ai fait peur, hein ?

J'ai dit :

– Bof...

Il me dit *(hurlant)* :

– Je ne vous ai pas fait peur ?

20 J'ai dit :

– Si ! Si !... Vous m'avez fait peur ! Mais qu'est-ce que j'ai fait ?

Il me dit *(montrant un panneau)* :

– Vous ne voyez pas qu'il est défendu de stationner !

Je lui dis :
25 – Mais c'est vous qui m'avez fait signe !
Il me dit :
– Je vous ai fait signe parce que c'est l'heure de la leçon du petit !
(Il apprenait au petit motard à verbaliser… à mes dépens !)
30 Il dit *(au petit motard)* :
– Tu as vu comment j'ai fait ! Allez… à toi !
Le petit s'approche de moi… gentil… doux… affectueux…
– Monsieur… voulez-vous avoir l'obligeance de me montrer vos papiers… s'il vous plaît ?
35 Ah… si vous aviez entendu le chef…
– Mais non ! Tu es trop gentil ! Tu n'obtiendras jamais rien comme ça… N'est-ce pas, monsieur ?
– Oh… j'ai dit :
– J'avoue qu'il ne m'a pas incité à montrer mes papiers.
40 Il dit *(au petit motard)* :
– Tu vois… tu allais nous faire perdre un client !
Il me dit :
– Excusez-le !…
Je lui dis :
45 – Je vous en prie, il n'y a pas de mal !
Il dit *(au petit motard)* :
– Allez… recommence, redemande-lui ses papiers !
Alors là… j'ai dit : « Non ! »
– Excusez-moi… mais je n'ai pas le temps de jouer !
50 Il me dit *(en hurlant)* :
– Vous n'avez pas le temps de jouer ?
Ah !…
J'ai dit :
– Si ! Si… J'ai tout le temps… On va jouer ! Ah si ! On va
55 jouer… C'est à qui de faire ?… C'est à moi de donner ? *(Il va pour sortir ses papiers.)*

Il me dit :

– Non ! C'est au petit à demander ! Allez ! À toi !

Le petit *(essayant d'imiter l'expression et le ton du chef… hurlant)* :

– Monsieur ! Donnez-moi… vos papiers… *(glissant vers la gentillesse)* S'il vous plaît… Sans ça… *(sa nature reprenant le dessus)*… le chef va encore se fâcher !

Le chef et moi… on s'est regardé.

Je lui dis :

– Qu'est-ce que je fais ? Je les lui donne ou quoi ?

Il me dit :

– Non !… Il ne les mérite pas !

Raymond DEVOS, extrait de *Sens dessus dessous*,
Éd. Stock, 1976.

Questions

Repérer et analyser

Le genre du texte

1 **a.** Repérez les passages narratifs dans ce texte. Quelle est leur proportion ?
b. Quelle est la proportion des passages dialogués ?

2 À quoi servent les phrases en italique et entre parenthèses ? Comment les appelle-t-on dans un texte de théâtre ? A-t-on coutume de les trouver ailleurs ?

La situation d'énonciation (voir p. 11)

3 Quel pronom personnel désigne le narrateur ? Est-il un personnage de l'histoire ?

4 Qui le pronom « il » désigne-t-il (l. 12 et 55) ?

Les personnages

5 Qui sont les personnages ? Ont-ils un nom ? Entretiennent-ils une relation d'égalité ? Justifiez votre réponse.

6 **a.** Sur quel ton le grand motard s'exprime-t-il (l. 7-8) ?
b. Quel est le sens du verbe « composer » dans l'expression « après avoir composé un visage de brute » (l. 7-8) ? Pourquoi cette précision est-elle importante ?

7 Par quels adjectifs pourriez-vous qualifier chacun des personnages ?

Les procédés comiques

Le comique de mots

8 **a.** Quel est le sens des mots « j'obtempère » (l. 5) et « verbaliser » (l. 29) ?
b. À quel registre de langue ces mots appartiennent-ils ? Quel est l'effet produit ?

Le comique de situation

9 **a.** Quelle est la réaction du narrateur lorsqu'il est arrêté par les motards ?
b. À quel champ lexical la plupart des mots appartiennent-ils ?

10 **a.** Comment interprétez-vous l'interjection « Bof » (l. 17) ?
b. Quelle est la réaction du narrateur lorsque le grand motard veut recommencer l'opération (l. 48 à 56) ?

11 **a.** Relevez tout ce qui oppose le grand motard au petit motard (caractère, comportement, langage).
b. Quel est l'effet produit ?

12 **a.** Pour quel motif le grand motard arrête-t-il le narrateur (l. 20 à 28) ? Quelle est la valeur de ce motif ?
b. Que demande le grand motard au narrateur à la ligne 43 ? et à la ligne 68 ? Cela vous paraît-il vraisemblable ? Quel est l'effet produit par ces répliques ?

13 Quels sont les défauts des motards dont se moque Devos ? Sa moquerie est-elle méchante ? Justifiez votre réponse.

La visée

14 Quelle est la visée de ce sketch ? Appuyez-vous sur l'ensemble de vos réponses.

Zouc

Le téléphone

Téléphone pour accidenté du bras. Illustration de Carelman, extraite du Catalogue des objets introuvables, Le Cherche midi Éditeur (1997).

Zouc – de son vrai nom Isabelle von Allmen – est née en 1950 dans le Jura suisse. Seule en scène, comme Fernand Raynaud ou Raymond Devos, elle joue et mime le destin ordinaire des femmes de son époque. Recueillis dans L'Alboum *et le* R'Alboum, *ses sketches sont appréciés en France comme à l'étranger.*

Mais qui c'est qui téléphone à ces heures ?

Elle s'essuie les mains à sa jupe et décroche le récepteur.

Allo ? Madame Fonalmeun… Allô oui… oui… Bonjour Madame ! Oui c'est Madame Fonalmeun elle-même… Bonjour 5 Madame.

Ah ah !

Non, non, non, j'y suis… Bonjour Madame. Ah non… non cette fois j'y suis, bonjour Mademoiselle !

Mais j'vous en prie… mais j'vous en prie… Mais… ais… 10 ais… ais ! J'vous en prie j'vous en prie…

Oui… oui… OUI !! oui… ouais… ouais… ou… i…

En aparté :

C'est M'z'elle Ernestine l'organiste, apporte-moi ma chaise !

Ouais… ouais… ouais…

15 *La demande n'ayant pas reçu de réponse, elle a un geste de menace, puis, tout en parlant, elle tire par saccades le fil du téléphone dans la direction de la chaise. Ne parvenant pas à amener le fil jusqu'à la chaise, elle s'aide du pied, puis de la main pour ramener la chaise à elle et s'y laisse choir.*

20 Ouais… oui… ouais. Non ? Non ?… mais… non… oui… Non… non… Écoutez ! Écoutez !… écoutez… non, mais écoutez écoutez… Ah écoutez !!

Ah ah !

Non, écoutez, Mademoiselle… oui… bon oui…
25 ÉCOUTEZ !!!

Ils l'auront voulu, eh bien, ma foi, ils l'ont !

S'il vous plaît !

Mais s'il vous plaît… mais s'il vous plaît !

Mais… ais… ais… ais !… mais !… mais mais mais… !

30 Mais bien sûr !

En aparté :

Baisse la télé, je n'entends rien !

Oui… oui…

En aparté :

35 Psst ! Psst !

Ah ?… Ah ?… Ah Ah !… Ah Ah !… Ah ?

En aparté :

Tu vas fermer sous l'feu, oui ?

Ouais… ouais !

40 Oh !… ô ô ô ô ! Ou… ô… ouh… ouh… ô…

Ô c'est mal fait ! C'est mal fait !… ou… ou… oui…, mais oui… Ah il faut avoir touché à la misère pour savoir c'que c'est !

Oui j'pense bien j'pense bien !

45 Mais si j'comprends j'comprends... mais j'comprends... j'comprends... j'comprends...

Mais j'comprends... j'com... prends !

Y a des fois...

Y a des fois où... hein !... y a des fois où...

50 Y a des fois où...

Exactement !

En aparté :

Tu vas ouvrir à Papa ? Laisse pas sortir le chien... LE CHIEN !

55 Mais oui... mais oui... mais oui...

En aparté :

Salut ! Je viens, installe-toi !

Ouais... oui... Écoutez Mademoiselle ! Mademoiselle... faut pas vous laisser faire ! Ouais ben alors à moi, on me la f'rait

60 pas deux fois !...

Mais alors... Mais s'il vous plaît... Mais bien sûr !

Eh bien voilà ! Très bien... oui... voilà ! Entendu ! On en reste comme ça... oui... j'vous r'mercie...

Elle rit d'un rire forcé tout en épluchant ses bas.

65 ... ha... ha ha ha ha... hé hé hé hé... hi hi hi... !

C'est sûr !... EN... TEN... DU !

Elle se lève et tout en parlant se dirige vers l'endroit où se trouve l'appareil téléphonique.

Parfait !... Merci beaucoup Mademoiselle... C'est gentil...

70 Oui, ils vont rentrer d'une minute à l'autre...

J'manquerai pas... J'suis sûre qu'i-z'en f'ront de même !

Oh qu'est-ce qu'vous voulez, une fois qu'elles sont grandes, ma foi, y faut s'faire une idée. Ah c'est c'que j'dis toujours, j'ai la chance d'avoir les chiens !

75 Ma foi, chacun sa croix !

Merci encore Mademoiselle, et surtout dites bien l'bonjour à mademoiselle vot'sœur... Bonne soirée... oui, à un d'ces jours, entendu, merci encore pour tout... Bonsoir, bonsoir... Bon...

80 *Après s'être légèrement élevée sur la pointe des pieds pour raccrocher le récepteur, elle retombe et reprend l'écoute.*

Oui... Oui... mais j'vous en prie... mais j'vous en prie... Ah oui... oui... non, écoutez... glissez-la sous le paillasson... oui, vous n'avez qu'à seulement la glisser sous l'paillasson... non
85 non, vous la mettez sous l'paillasson... non ça ne risque rien... glissez-la sous l'paillasson... non, non, n'vous en faites pas pour cette clé, glissez-la sous l'paillasson... oui, c'est ça, vous n'avez qu'à la glisser sous l'paillasson... oui bon ! ben vous la glissez dans une enveloppe... on ira... non, mais vous...
90 vous n'a... ça n'a...

En aparté :

Commencez sans moi ! C'est bon ? Ça manque de sel ? Mais mets du sel !

Écoutez, Mademoiselle, vous faites comme vous pensez,
95 hein, c'est plus simple... Ou bien alors vous la... Eh mon dieu !... j'm'excuse, Mademoiselle, j'ai vraiment pas ma tête à la bonne place aujourd'hui ! Oui mais bien sûr, très bonne idée ! Vous avez tout à fait raison... Oui... bien entendu, c'est comme vous désirez... oui, mon mari ira la chercher... Mais
100 j'vous en prie, i's'f'ra un plaisir... il a vite fait avec l'auto...

Elle gesticule, agacée et lance en aparté :

Avec l'auto !!! Avec l'auto !!!

Surmontant son exaspération :

J'm'excuse, Mademoiselle... j'peux pas rester plus long-
105 temps, j'ai du monde... vous m'en voudrez pas, mais... oui, on s'rappelle !...

ZOUC, extrait de *L'Alboum de Zouc*, Éd. Balland, 1978.

Questions

Repérer et analyser

Le genre du texte

1 Quelles remarques faites-vous sur la typographie et sur la mise en page de ce texte ? Quel est le genre du texte ? Aidez-vous du chapeau.

La situation d'énonciation (voir p. 11)

2 **a.** Quel pronom désigne l'énonciatrice ? Son nom est-il précisé ? À qui s'adresse-t-elle successivement ? Citez le texte.
b. Dans quelle situation d'énonciation précise les deux personnages principaux se trouvent-ils ? À quels indices du texte le voit-on ?

Les personnages

3 **a.** Qu'apprenons-nous, au fil du texte, sur la personne qui parle ?
b. Sur son comportement envers son interlocutrice ?
c. Sur le genre de vie qu'elle mène ?

4 Comment interprétez-vous sa réflexion : « Une fois qu'elles sont grandes, ma foi, y faut s'faire une idée [...] J'ai la chance d'avoir les chiens ! » (l. 72 à 74) ?

5 Comment vous représentez-vous la personne qui est au bout du fil ? Appuyez-vous sur le texte pour répondre.

6 Quelles autres personnes se trouvent dans la pièce ?

Les procédés comiques

Le comique de situation

7 **a.** L'état d'esprit de l'énonciatrice évolue-t-il au fur et à mesure que progresse le dialogue ?
b. À quels moments espère-t-elle pouvoir raccrocher le téléphone ? Appuyez-vous sur le texte.
c. Pourquoi certains mots sont-ils écrits en majuscules ?

Les apartés

Au théâtre, on appelle aparté une réflexion faite par l'acteur, que son interlocuteur n'entend pas mais que le spectateur, lui, entend.

8 Que nous apprennent les apartés de cette scène ?

9 Comparez la situation finale (l. 105-106) avec la situation initiale. La situation finale annonce-t-elle un changement ?

Le comique de mots

10 a. Quel est le niveau de langage employé ?
b. Relevez dans la transcription des paroles des marques d'oralité.

11 Quels sont les tics de langage les plus évidents, en particulier les répétitions ? Citez le texte.

12 Sur quels sujets porte la conversation ? Comprend-on qui désigne le pronom « ils » (l. 26) ? Justifiez votre réponse.

La visée

13 La situation évoquée dans ce sketch vous semble-t-elle extravagante ou familière ? Justifiez votre réponse.

14 Quelle est, selon vous, la visée de ce sketch ?

S'exprimer

15 Imaginez que Mme Fonalmeun possède un téléphone sans fil. Quels changements dans le texte et surtout dans les disdascalies devriez-vous faire ?

16 Dans le train ou le métro, une personne utilise son portable. Elle parle fort. Rapportez sa conversation avec son interlocuteur et décrivez les réactions des autres voyageurs.

Marc Jolivet

Emilio

Marc Jolivet se produit depuis une vingtaine d'années dans de nombreux théâtres et cafés-théâtres. C'est un fantaisiste qui, sous des dehors pleins d'humour, n'hésite pas à dénoncer les hypocrisies dont s'accommodent nos contemporains.

C'est la nuit, en pleine campagne, une voiture tombe en panne. Le chauffeur descend pour réparer. N'y parvenant pas, il décide de chercher de l'aide. Une maison paraît au loin, il frappe à la porte.

5 – Bonjour, monsieur. Excusez-moi de vous déranger, est-ce que vous pourriez venir m'aider à réparer ma roue ?

Le paysan, visiblement réveillé en pleine nuit, refuse.

– À cette heure-là, c'est impossible.

– Vous n'allez pas me laisser comme ça. Il est deux heures 10 du matin. On est à dix kilomètres de toute agglomération. Laissez-moi téléphoner. Il fait froid. J'ai peur.

– Oh, ben y a quelqu'un qui va pouvoir vous aider. *(Il appelle en direction de la grange.)* Emilio, Emilio !

Apparaît un cochon avec une jambe de bois, le sourire aux 15 lèvres.

– Emilio, tu peux aider monsieur à aller réparer sa roue ?

Sous l'œil éberlué du chauffeur, le cochon demande les clés, se dirige vers la voiture en sifflotant, ouvre le coffre arrière, sort la roue de secours, pose le cric, dévisse la roue crevée, 20 installe la roue de secours, serre les boulons parfaitement, redescend le cric, met la roue crevée dans le coffre arrière, referme la voiture, rapporte les clés et disparaît en grognant.

– Génial ! Extraordinaire !

Le paysan regarde sa montre.

25 – Oui, pas mal. Il a gagné deux minutes par rapport à la dernière fois, mais c'est une BM que vous avez... Encore, ça c'est rien. Hier, y a eu le feu à la maison, c'est lui qui a sauvé ma fille. Et il a tout de suite appelé les pompiers, il a téléphoné immédiatement.

30 – Incroyable !

– Le lendemain, c'était le premier à réparer la grange.

– Merci beaucoup de votre gentillesse, mais avant de partir, une dernière question : pouquoi il a une jambe de bois ?

– Un cochon avec des qualités pareilles, vous n'imaginez
35 tout de même pas qu'on va tout manger d'un seul coup !

Marc JOLIVET, extrait de *Iconoclaste !* Éd. Plon, 1994.

Illustration de Marcel Gotlib, extraite de Rubrique-à-brac, Dargaud Éditeur (1973).

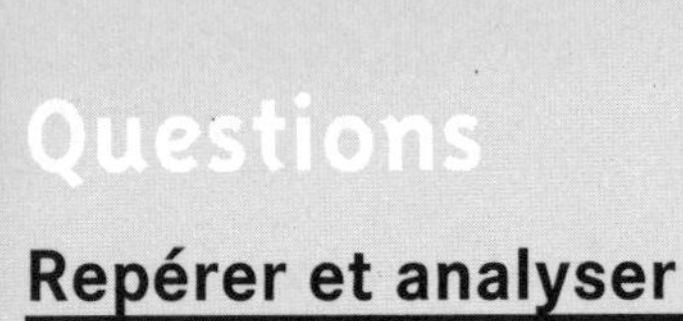

Questions

Repérer et analyser

Le narrateur et le mode de narration

1 En ce qui concerne le narrateur, quelle différence remarquez-vous entre ce texte et les textes précédents ?

2 Quelle est la proportion des passages dialogués ?

3 Dans les lignes 17 à 22, relevez les verbes d'action et leur sujet. Ces verbes sont-ils nombreux ? Quel est l'effet produit ?

Le cadre et les personnages

4 Où et quand l'action se déroule-t-elle ?

5 Quelle est la réaction du paysan lorsque le chauffeur le réveille en pleine nuit ? Quel comportement a-t-il envers Emilio ? Citez le texte. Caractérisez-le par un ou deux adjectifs.

6 Quels arguments le chauffeur utilise-t-il pour apitoyer le paysan ?

7 Relevez les traits qui apparentent Emilio à un être humain. À quel moment semble-t-il se comporter comme un cochon ?

Les procédés comiques

8 **a.** À quoi s'attend-on lorsque le paysan parle de « quelqu'un » qui va « aider » et qu'il appelle « Emilio » ?

b. Observez l'ordre des mots à la ligne 14. En quoi cet ordre met-il en valeur l'apparition d'Emilio ? Quel est l'effet produit ?

9 Relevez les éléments invraisemblables de cette histoire. Le narrateur semble-t-il croire à l'histoire qu'il raconte ? Justifiez votre réponse.

La visée

10 Que suggère la dernière réplique du paysan ?

11 De quoi le cochon pourrait-il être le symbole ?

S'exprimer

12 Le cochon se révolte et s'adresse à son maître. Rapportez son discours. Quelles sont les réactions du paysan ?

Jean-Michel Ribes

Réclamation

Auteur dramatique et metteur en scène, Jean-Michel Ribes est né en 1946. Il a travaillé avec le dessinateur et écrivain français Roland Topor et de nombreux acteurs comiques, au théâtre et pour la télévision. Ses monologues et ses dialogues prennent leur point de départ dans la réalité quotidienne et, par un décalage progressif, aboutissent à une situation délirante. Ce sketch a été créé par Pierre Arditi et Philippe Khorsand pour la télévision, en 1988.

Un restaurant chic. Seul à une table, un client énervé appelle le directeur. Celui-ci s'approche de sa table, très courtois.

LE DIRECTEUR. – Monsieur, un problème ?

LE CLIENT. – Regardez ce que je viens de trouver dans mon
5 potage.

Il montre une boule d'acier, pleine de vermicelles.

LE DIRECTEUR *(ahuri)*. – Mais c'est... c'est une boule de pétanque !

LE CLIENT. – Je ne vous le fais pas dire !

10 LE DIRECTEUR. – Dans votre potage !!!

LE CLIENT. – C'est insensé, non ? Je ne veux pas faire d'esclandre[1] mais enfin reconnaissez tout de même qu'une boule de pétanque dans un minestrone[2] à l'oseille, c'est un peu beaucoup.

LE DIRECTEUR. – Elle est petite remarquez... Mais enfin, c'est
15 vrai, c'est tout à fait inadmissible...

1. Scandale.

2. Soupe italienne aux légumes avec des pâtes.

Illustration de Claude Serre, extraite de Serre la bouffe, Éditions Glénat (1982).

Il remue la louche dans la soupière.

LE CLIENT. – Qu'est-ce que vous faites ?

LE DIRECTEUR. – Je regarde s'il y a le cochonnet[3]... parce qu'une boule de pétanque c'est vrai que ce n'est pas très 20 agréable dans son assiette, mais enfin ce n'est pas dangereux. On la voit...

LE CLIENT. – Ça !

LE DIRECTEUR. – Tandis que le cochonnet, c'est perfide. Il suffit qu'il se soit niché entre deux champignons. On ne le 25 remarque pas et hop, c'est l'étranglement assuré... Non il n'y est pas. Tant mieux !

3. Petite boule servant de but aux joueurs de pétanque.

Il pose la louche.

LE CLIENT. – Bon Dieu !

LE DIRECTEUR. – Quoi !

30 LE CLIENT. – Si je l'avais avalé !

LE DIRECTEUR. – Le cochonnet !

LE CLIENT *(blême[4])*. – Oui.

LE DIRECTEUR. – Ça m'étonnerait beaucoup.

LE CLIENT. – Pourquoi ?

35 LE DIRECTEUR. – Parce que si vous aviez un cochonnet dans l'estomac, vous ne seriez pas là à gesticuler, à clamer « Appelez-moi le directeur », « C'est un scandale », et patati et patata pour une malheureuse boule de pétanque dans votre velouté d'oseille… Non, vous n'en auriez pas la force… Vous seriez 40 faible.

LE CLIENT. – Ah… ?

LE DIRECTEUR. – Holà ! Oui. Ça épuise un cochonnet. On est groggy[5]. Vous auriez mangé votre potage avec la boule de pétanque sans même vous en apercevoir.

45 LE CLIENT. – Ah bon, vous me rassurez…

LE DIRECTEUR. – C'est pour ça, je trouve toute cette histoire un peu exagérée… C'est vrai, pas l'ombre d'un cochonnet dans la soupière. Vous êtes en pleine forme et la boule de pétanque, mon Dieu, elle ne vous a pas mordu…

50 LE CLIENT. – C'est exact…

LE DIRECTEUR. – Vous savez, quand on voit certaines images à la télévision… faire toute une histoire pour ça… *(Il montre*

4. Très pâle.
5. Mot anglais (appartient au vocabulaire de la boxe). Étourdi par les coups, prêt à s'écrouler.

la boule.) Par moments, je me dis que certains clients perdent un peu le sens de la réalité…

55 LE CLIENT. – Je… je vous demande de m'excuser… Je me suis laissé emporter…

LE DIRECTEUR. – Vraiment, c'est une réaction d'enfant gâté…

LE CLIENT. – Je suis navré. Ma mère m'a toujours passé tous mes caprices et je me crois tout permis… je suis infernal… J'ai
60 honte…

LE DIRECTEUR *(appelant un garçon)*. – Bien. Raymond, voulez-vous changer le potage de monsieur…

LE CLIENT. – Non !

LE DIRECTEUR. – Alors, qu'est-ce qui ferait plaisir à monsieur ?

65 LE CLIENT. – Remettez-la-moi…

LE DIRECTEUR. – La boule ?

LE CLIENT. – Oui… s'il vous plaît !

Le directeur lève les yeux au ciel, soupire et met la boule dans l'assiette de potage du client.

70 Merci… et pardon…

LE DIRECTEUR. – C'est oublié, monsieur…

Il s'incline. Le client se remet à manger son potage en écartant un peu la boule avec sa cuillère. Le directeur s'éloigne en soupirant.

75 LE DIRECTEUR. – Quel métier !

Jean-Michel RIBES, extrait de *Monologues, bilogues, trilogues*, Éd. Actes Sud, 1997.

Questions

Repérer et analyser

Le genre du texte

1 Y a-t-il un narrateur ? À quel genre ce texte appartient-il ?

Le cadre spatial

2 Où se passe la scène ? Quel adjectif caractérise ce lieu ? Quelle est l'importance de ce détail dans le déroulement de la scène ?

Les personnages

3 Qui sont les personnages ? Entretiennent-ils des relations d'égalité ?
4 Quel adjectif caractérise le directeur dans les didascalies initiales ? Peut-on dire que cet adjectif s'applique à lui tout au long de la scène ?
5 Repérez le temps de parole de chacun des personnages. Lequel des deux domine l'autre ?
6 Quelles sont les différentes réactions du client au cours de la scène ?

La progression du dialogue

7 Alors que le directeur est en tort, par quels arguments parvient-il à retourner la situation en sa faveur ?
8 Expliquez l'allusion : « Quand on voit certaines images à la télévision… » (l. 51-52). Quel sentiment essaie-t-il d'éveiller chez le client ?

Les procédés comiques

9 La situation présentée dans cette scène est-elle vraisemblable ?
10 Comment jugez-vous la dernière demande du client ?
11 Comparez la situation initiale et la situation finale. Qui a le dessus au début de la scène ? Qui fait des excuses à l'autre à la fin ? Quel est l'effet produit ?

S'exprimer

12 Reconstituez la scène qui a précédé dans le restaurant l'arrivée du directeur auprès du client. Vous pourrez, à votre choix, traiter la scène sur le mode sérieux ou sur le mode comique.

Comparer

13 Sur un thème proche de celui abordé par Jean-Michel Ribes, le poète Henri Michaux a composé ce texte dont nous citons un extrait. Relevez les points communs aux deux textes.

Plume voyage

Plume ne peut pas dire qu'on ait excessivement d'égards pour lui en voyage. Les uns lui passent dessus sans crier gare, les autres s'essuient tranquillement les mains à son veston. Il a fini par s'habituer. Il aime mieux voyager avec modestie. Tant que ce sera possible, il le fera.

Si on lui sert, hargneux, une racine dans son assiette, une grosse racine : « Allons, mangez. Qu'est-ce que vous attendez ? »

« Oh, bien, tout de suite, voilà. » Il ne veut pas s'attirer des histoires inutilement.

Et si, la nuit, on lui refuse un lit : « Quoi ! vous n'êtes pas venu de si loin pour dormir, non ? Allons, prenez votre malle et vos affaires, c'est le moment de la journée où l'on marche le plus facilement. »

« Bien, bien, oui... certainement. C'était pour rire, naturellement. Oh oui, par... plaisanterie. » Et il repart dans la nuit obscure. [...]

Henri Michaux, extrait de « Plume voyage », in Un certain Plume précédé de Lointain Intérieur, Éd. Gallimard, 1963.

Index des rubriques

Repérer et analyser

L'auteur et le narrateur 11, 16, 23, 35, 40, 48, 58, 64, 68, 74, 82, 91, 102, 120
La progression du récit 12, 17, 23, 35, 40, 48, 58, 64, 68, 74, 82, 91, 102
La situation d'énonciation 11, 106, 110, 116
Le discours argumentatif 24, 40, 92
Le discours direct 59
Le mode de narration 59, 64
La description 64
Les personnages 12, 16, 23, 35, 40, 48, 59, 68, 74-75, 83, 91, 102, 106, 110, 116, 120, 125
Les procédés comiques 13, 36, 49, 60, 68, 83, 103, 106, 110, 117, 120, 125
La leçon du fabliau et sa visée 13, 17, 24, 36, 40, 49, 60, 65, 68, 75, 83, 92, 103, 106, 111, 117, 120
La satire sociale 17, 36, 40, 64
Le merveilleux 23
Les éléments réalistes 58, 74
L'allégorie 12
La caricature 83

Étudier une image

Saint Pierre 25

Étudier la version originale 18

Comparer 36, 41, 126

Se documenter

L'exorcisme 13
La vie des Saints 24
Rutebeuf 42
Le jour des Rameaux 42
Les mendiants au Moyen Âge 60-61
Les monnaies au XIIIe siècle 61
La place de l'Église dans le village 65
Le communal 69
Le prévôt 69
Les infirmes au Moyen Âge 85
Durand de Douai 85
Difficultés de la noblesse au XIIIe siècle 93

Enquêter

Saint Pierre 25
Les animaux de compagnie 41
Le diable dans tous ses états 49
Une ville au Moyen Âge 84

S'exprimer

17, 24-25, 36, 41, 60, 65, 69, 75, 84, 92, 106, 117, 120, 126

Débattre 93

Mettre en scène 49

Table des illustrations

2	ph ©	Archives Hatier
7, 22	ph ©	Archives Hatier
25	ph ©	Bulloz
27, 29	ph ©	Lauros-Giraudon
32	ph ©	Dagli Orti
47, 61	ph ©	Archives Hatier
67, 81	ph ©	Archives Hatier
97		Dessin de Chaval extrait des « cent meilleurs dessins »
	©	Le Cherche-midi éditeur 1988
103		Dessin de Gotlib extrait de « Rubrique-à-brac »
	©	Dargaud Editeur, par Gotlib
112		Dessin de Carelman extrait du « Catalogue des Objets introuvables »
	©	ADAGP, Paris 2002
119		Dessin de Gotlib extrait de « Rubrique-à-brac », tome 4
	©	Dargaud Éditeur, par Gotlib
122		Dessin de Serre extrait de « La Bouffe »
	©	Editions Glénat

et 11, 12, 13, 16, 17, 18, 23, 24, 25, 35, 36, 40, 41, 42, 48, 49, 58, 59, 60, 61, 64, 65, 68, 69, 74, 75, 82, 83, 84, 85, 91, 92, 93, 102, 103, 106, 110, 111, 116, 117, 120, 125, 126 (détail)
ph © Archives Hatier

Iconographie : Hatier Illustration

Principe de maquette : Mecano-Laurent Batard

Mise en page : Alinéa

Dépôt légal : 73928-6/10 - Octobre 2010

Imprimé en France par Hérissey à Évreux (Eure) - N° 115062